D1625900

De Koppendans

Leonie Kooiker

ISBN 978-90-9022839-6

1

Smokkelersgat is een klein dorp achter een hoge dijk in Zeeland. Het heeft twee straatjes met onvoorstelbaar kleine vissershuisjes en een centrum met een kerkplein en een kerk. Er is een knusse nieuwbouwwijk en er zijn drie campings. Aan de andere kant loopt een smalle weg naar nergens. Daar staat achter een ijzeren hek in een oude verwilderde tuin het huis waar Evelien is opgegroeid.

Alle stormen uit de Noordzee hebben geloeid en gebulderd over het veilige blauwgrijze dak met de grote schoorsteen. De uitlopers van de blauwe regen zwiepten tegen de ramen. De zware kastanjeboom overleefde elk noodweer. Iedere dag fietsten Evelien en haar twee zussen naar school over de smalle dijk die ervoor was gemaakt regen en storm en ook de hete zon van de zomer te vangen.

Nu is Rozemarie getrouwd, Erica studeert al een paar jaar in Leiden en Evelien is thuis, terug uit Grenoble waar ze was begonnen aan een studie Frans.

Pappie, lang en grijs, grijs haar, grijs pak en rustige grijze ogen, heeft haar van de trein gehaald. Mammie, klein, nog altijd donker en onberispelijk gekapt, vergast haar op uitzonderlijke maaltijden en een onuitputtelijke hoeveelheid koetjes en kalfjes die ze altijd in voorraad heeft. Evelien doet niets.

Na drie weken doet ze nog niets behalve eindeloos muziek draaien en zoveel mogelijk de zorgen en adviezen van mammie ontlopen.

Pappie informeert voorzichtig: 'Heb je er al eens over gedacht, wanneer je teruggaat naar Grenoble?'

'Nee.'

Mammie zegt: 'Je verliest teveel tijd, kindje. Wij vonden het al niet zo'n goed plan, een studie in een vreemd land, dat weet je. Maar je hebt die keus nu eenmaal gemaakt. Het is echt beter nu even door te zetten. Je zult zien: na een paar maanden wil je er niet eens meer weg.'

'Ik ga niet terug naar Grenoble,'

Mammie zucht. 'Dat is jammer, Evelien, heel erg jammer, maar uiteindelijk moet je zelf over je toekomst beslissen. Wat wil je dan wel? Je kunt echt niet eeuwig hier thuis blijven hangen. Dat is verkeerd voor jou en ook voor ons.'

'Waarom? Wil je me weg hebben? Drie weken is toch niet eeuwig.'

'Het spijt me. Dit is je thuis. Zelfs al zou je een jaar willen blijven, dan wil ik je dat niet verbieden. Maar het begint op mijn zenuwen te werken. Je komt om half twaalf uit je bed. Je draait onuitstaanbare muziek en, Evelien, ik ken je zo niet. Ik heb het er heel erg moeilijk mee. Je zou ons eens moeten vertrouwen. Wat is er nu eigenlijk met jou aan de hand?'

Ja, en dat kan of wil Evelien nu juist niet aan haar ouders vertellen.

Alleen op haar kamer zit ze te tobben. Tot nu toe heeft ze al haar problemen ver van zich af gegooid. Grenoble was een vergissing. Thuis rondhangen lost helemaal niets op, dat weet ze zelf ook wel, maar wat ze nu verder zal gaan doen; een andere studie, een baantje zoeken? Heeft ze helemaal geen zin in. Ze weet het niet, ze weet niks. Ze is er nog niet aan toe.

Evelien weet dat haar moeder haar niet met rust zal laten. Ze werkt op mammies zenuwen. Nu, het omgekeerde is ook het geval. Ze kan mammies onderdrukte kritiek helemaal niet verdragen. Ze moet hier weg, maar waarheen? Het enige wat ze kan bedenken, is: naar Rozemarie.

Eveliens oudste zus woont in het Twentse dorp Echel, waar haar man, Frits Brunel, huisdokter is. Echel, net zo'n gat als dit hier, denkt Evelien. Wat ze daar moet gaan doen, weet ze ook niet, maar het is tenminste weer wat anders. Lusteloos begint ze wat kleren bij elkaar te zoeken. Kan het nog vandaag? En pas dan bedenkt ze dat het misschien wel verstandig is eerst even te bellen.

Rozemarie weet natuurlijk allang van mammie dat Evelien thuis is, dat ze niets uitvoert, niets wil en tamelijk ongenietbaar is.

'Ze heeft wel vaker van die perioden gehad,' zei mammie, 'maar deze keer is het wel heel erg. Er is echt niets met dat kind te beginnen.'

En nu belt Evelien zelf: 'Mag ik een paar dagen komen?'

'Ja natuurlijk, Eef. Wanneer had je gedacht?'

'Nu.'

'O. O ja, goed, kom maar.'

Het komt Rozemarie slecht uit: nu. Maar och, ze heeft het toch altijd druk. Er moet daar iets helemaal mis zijn, anders had haar zus niet zo verdrietig opgebeld. Ze zal wel zien, hoe het loopt.

Later belt Evelien nog een keer. Ze haalt het niet vandaag, ze komt morgen. En morgen: voordat ze zelf helemaal klaar is, alles heeft uitgezocht wat er mee moet, is het ook al niet vroeg meer. Pappie brengt haar naar de trein. 's Avonds om half acht komt ze eindelijk met de bus in Echel aan.

Rozemarie is bezig haar kinderen naar bed te brengen, maar ze heeft wat te eten voor Evelien bewaard.

Evelien vindt het best. Ze is blij met een bord lauwe pasta en twee lamscoteletten. Ze heeft om elf uur haastig ontbeten en daarna niets meer gehad.

Om negen uur schenkt Frits een glas wijn in.

'Fijn dat je er bent, Eef.'

En dan is het een poosje stil.

Moe en, ja, verdrietig, zit Evelien te draaien met haar glas. Ze laat de wijn schommelen. De rand van het spiegeltje klimt tegen het glas op. Ze probeert de lichtjes van de schemerlamp te vangen. Ze dansen, vervormen en breken.

Rozemarie begint iets te vertellen over de kinderen. Floris gaat al alleen met Hannejetje mee naar zijn kleuterklas. Ze is nog geen zeven, maar heel zorgzaam voor haar kleine broertje.

Evelien laat de woorden kabbelen, verglijden, voorbij gaan. De lichtjes in de wijn worden niet rood, niet eens een klein beetje. Alle kleuren wijn zijn mooi. Hoe heet het ook alweer dat zo'n spiegeltje niet vlak wil zijn? Oppervlaktespanning. Wat er al geen last van spanning kan hebben: een plonsje wijn in een glas. Thuis waren er spanningen. Als ze er maar niet over gaan zeuren.

'Spanningen thuis, Evelien?'

Daar heb je het al. Ze haalt haar schouders op.

'Ik vond het niet prettig in Frankrijk. Ik weet gewoon nog niet wat ik wil. Daar hoeven ze toch niet moeilijk over te doen? Maar dat doen ze wel, tenminste mammie. En als ik geen ontbijt eet, zie ik niet in waarom ik om half negen beneden zou moeten zijn. Ik had er gewoon genoeg van.'

'Dat kan ik me best voorstellen,' zegt Frits, 'Wij zullen het je niet lastig maken. Je doet maar net waar je zin in hebt. Dus geen ontbijt voor Evelien, Rozemarie.'

De volgende ochtend bij een kopje koffie begint Rozemarie wat aarzelend te vertellen dat het wel heel jammer is dat zij en Frits er de volgende week een paar dagen niet zullen zijn.

'Wat gaan jullie doen?' vraagt Evelien.

'Frits en ik zitten hier in een volksdansgroepje. We zijn uitgenodigd voor een festival. Het is afgesproken dat we daarheen zullen gaan en dat kunnen we nu niet meer afzeggen. We gaan dus aanstaande vrijdag voor een paar dagen naar Körnerstachelturm.'

'Naar wat?'

'Ja het klinkt gek. Het is een dorpje in Tirol.'

'O en wat moet ik dan?'

'Schrik maar niet. Je kunt gerust hier blijven.'

'Helemaal alleen?'

'Ja, vind je dat erg? De kinderen gaan naar kennissen. Het is maar een weekje.'

'Ik denk... dat ik dan maar weer naar huis ga. Vrijdag? Morgen ga ik wel.'

'Het spijt me. Misschien had ik het meteen moeten zeggen toen je belde. We willen je echt graag helpen, Evelien.'

Ze kijkt naar haar koffiekop, laat de koffie draaien net als de wijn gisteren.

Rozemarie gaat naar haar toe, slaat een arm om haar heen. 'Zusje.'

Evelien zet het kopje op tafel. 'Ik begrijp het zelf niet, hoor. Ik ben plotseling zo onzeker geworden.'

'Is er iets ergs gebeurd?'

'Nee. Tenminste, ik ben beroofd, maar daar hoef je natuurlijk niet zo raar van te worden, als ik nu ben. Het is... het is gewoon alles bij elkaar.'

'Je bent niet raar. En je moet zeker niet weer hals over kop naar mammie gaan. Je kunt misschien wel mee naar Tirol.'

'Wat moet ik dáár doen?'

'Het is maar een voorstel. Die bus rijdt toch. Je hoeft niets te doen, maar je kunt misschien wat helpen met de costuums of zo. Je kunt ook op eigen gelegenheid gaan wandelen of alleen maar rondkijken. Leuke optochten en overal muziek.'

'Hoe noemde je die plaats? Ik heb er nog nooit van gehoord.'

'Körnerstachelturm. Het is een dorpje in de Alpen. Wij zijn er nog nooit geweest, maar het festival is beroemd.'

'Nou, ik weet het niet, hoor.'

'Denk er maar eens over.'

's Middags zegt Hannejetje:

'Evelien, je moet met mij meegaan naar de tuin. Ik zal je het rampgebied laten zien.'

Evelien wandelt achter haar aan. Over een gazon vol madeliefjes, langs de decoratieve vijver waar irissen bleek en stijf met hun agressieve bladpunten naar boven wijzen. Dan door een frambozenlaantje. Ze moet bukken voor de takken van een knoestige oude appelboom. Helemaal achterin is het rampgebied. Daar ligt een slordige berg hout. Een taaie braamstruik groeit er doorheen. Winde klimt van de brandnetels in de vlier en tussen zachte aren van gras staan scherp als sneeuwkristallen blauwgroene sterren van distels. Hier komt niemand wieden. Daarom heet het het rampgebied en het is het spannendste stuk van de tuin.

'Hij heet hanepoot,' zegt Hannejetje, 'En hij heet ook zevenblad en je mag pispotje zeggen tegen de winde, maar het is niet hun voornaam en hun achternaam. Alleen honden en paarden hebben een naam en een achternaam, maar een kraai is een kraai en hij heet kraai en verder niks. Dat is altijd met planten en dieren. Zo heten ze en ze zijn het. Dat komt omdat je met een kraai niet kunt praten.

'O,' zegt Evelien.

Hannejetje gaat door met haar verslag van de natuur.

'Weet je waarom een spin eng is? Ik weet het. Want zijn vingers zitten aan zijn buik en zijn kop ook. Als je geen armen en benen hebt maar alleen een dikke buik met vingers, dan is het eng.'

'Dat is waar,' zegt Evelien.

'Maar een spin heeft wel een hart. Weet jij of een wurm een hart heeft?'

'Nee, dat weet ik niet.'

'En een mug? Die is maar zo klein. Een hartje kan er haast niet in. Je kunt wel levend zijn als je geen hart hebt. Bomen hebben geen hart maar ze zijn toch levend. Wat zeg jij, is water levend?'

'Water?'

'Mama zegt dat het levend is en juf Liefferink zegt van niet. Wat zeg jij?'

'Het is levend.'

'Maar het heeft geen hart.'

'Jawel, de maan.'

'Hoe kan dat nou?'

'De maan zorgt ervoor dat het water beweegt. Dat de zee op en neer gaat. Wij woonden bij de zee. Daar kun je het zien. Het kloppende hart van de zee, dat is de maan,' zegt Evelien dromerig en ze voegt er aan toe: 'En de maan zorgt ook voor de menstruatie.'

'Wat is mensturatie?'

'Vrouwen hebben dat. Jij krijgt het later ook. Elke maand raak je bloed kwijt. Soms heel veel.'

'En dat komt van de maan?'

'Ja.'

'Dat vind ik raar, Evelien.'

'Dat is het ook. Raar en erg vervelend.'

Hannejetje blijft een hele tijd stil. En Evelien herinnert zich hier tussen de brandnetels bij de geur van het vochtige hout haar eigen gevoel van vroeger.

De wereld van Hannejetje is duidelijk. Een kraai is een kraai en hij heet kraai. In een mug past geen hartje en ze weet waarom een spin eng is. De wereld van Evelientje was anders. Ze zat aan het strand en liet het zand door haar handjes stromen. Ze dacht dat iedere zandkorrel een wereldje was. En de aarde met alle sterren waren weer zandkorrels van een volgende wereld. Een opeenvolging van werelden en toch voelden ze even dichtbij als het zand en de schelpen.

Als je klein bent, ben je overal dichterbij, denkt Evelien. De laatste tijd lijkt alles ver weg. Mijn eigen kamer thuis, mammie, Rozemarie en de dingen waar ze zich druk over maken. Alles is onduidelijk en onzeker en daardoor voelt het ver weg.

'Evelien,' vraagt Hannejetje, 'Als je dat krijgt, die mensturatie, krijg je dat dan in de nacht? En al dat bloed, waar komt dat uit?'

O help, denkt Evelien, 'Ik had het niet moeten zeggen. Ik doe ook altijd alles verkeerd. Ze kijkt ongerust naar haar kleine nichtje.

'Eh, het heet menstrrúatie... Het heeft te maken met kinderen krijgen.'

'O, kinderen krijgen,' Het klinkt minachtend. Hannejetje kent het verhaal van het eitje en de zaadjes allang, maar het is niet zoals andere verhalen, waarbij ze direct hoort of ze op de juiste manier verteld worden. Het verhaal van het eitje kan ze nooit goed onthouden.

2

Womg'bumi is een kleine nederzetting van ronde woningen in de oneindige bomenzee van Gondom, een verzonnen staatje midden in Afrika.

Kleine geluidjes kondigen het begin aan van een nieuwe dag: blote voeten op de hard gestampte aarde, de houten melodie van een stamper in een vijzel, ritselende graankorrels. In het bos schreeuwt een beo en tussen de huisjes kraait een schorre haan. De lucht is koel en vochtig.

Al voordat de zon opkomt, kruipen de vrouwen naar buiten om aan hun dagtaak te beginnen: het pletten van de gierst.

Yéré is de eerste. Even later komen Niama, Ndumbe en Yo. Hun ritmisch gestamp in de holle vaten gaat in het begin nog zacht. Een opmerking wordt half gefluisterd, er klinkt een ingehouden lach.

Heel snel wordt het licht en het bos wordt wakker.

De kinderen komen te voorschijn. Een voor een houden de moeders op met hun werk. Niama maakt een vuurtje. Yéré roostert koeken van de pap van gisteren voor de kleintjes die naar school gaan, want ze zullen de hele dag niets meer te eten krijgen.

Fodé wil geen koek. Alle moeders proberen hem te overtuigen hoe onverstandig het is als hij niet eet nu het nog kan.

'Al voordat je op school bent, zul je honger krijgen, Fodé'

'Je buik zal gaan klepperen als een ratelslang.'

'Je buik is leeg, je hoofd is leeg, je benen worden slap. Waggelend als de oude Ibu ploetert Fodé voort. De andere kinderen zijn ver vooruit. Arme Fodé, alleen in het bos. Daar komt de luipaard aan, zwiepend met zijn lange staart.'

De dreigementen helpen niet. Fodé vertikt het. Zijn maag moet leeg zijn, want vandaag wil hij de pangolin vangen, het schubdier dat 's nachts op mieren en eieren jaagt. Samen met zijn vriendjes zal hij het opeten en hij neemt zelf natuurlijk het meest, zodat hij in het donker net zo goed zal kunnen kijken als de pangolin.

Veertien kinderen gaan samen op weg met hun leesboek op het hoofd. Ze moeten anderhalf uur lopen voordat ze op school zijn.

De vrouwen gaan weer door met stampen, sneller en harder. Als ook de meeste mannen zijn weggegaan, komen ze pas lekker op gang. Hun vogelstemmen worden muziek, als ze samen praten op de maat van het werk.

Ndumbe heeft de hamerkop gezien. Hij kwam naar de omheining gevlogen en hij heeft met zijn eigenaardige kop naar haar geknikt.

'O aa ha o! De hamerkop brengt geluk.'

'Hamerkop, geef wat ik wens. O aa ha o.'

'Ndumbe Ndumbe Ndume, wat is je wens?'

Een klaterende lach van Ndumbe. Ze zingt: 'Een nieuwe, een nieuwe, een mooie nieuwe man.' En ze sjort het babytje omhoog dat aan haar rug bengelt, een kind van Babo. Dat heeft die ouwe toch nog maar voor elkaar gekregen. De vrolijke Ndumbe is heel tevreden met haar zachtzinnige Babo. Iedereen weet dat ze het goed bij hem heeft.

'Nu begint Yo: 'De maannacht, ik wacht, ik wacht onze maannacht.'

'Op wie wacht Yo?'

'Munengo.'

Plotseling versnelt het gestamp.

'Munengo.'

'Munengo.'

Munengo is de populairste jongeman van het dorp. De eerste zoon van de tweede vrouw van het dorpshoofd. Hij is er bijna nooit, want Munengo wil de wereld zien. Soms komt hij onverwacht weer opdagen en altijd brengt hij merkwaardige dingen van de witte mensen mee naar huis. Dan is heel Womg'bumi in opwinding.

De opwinding ontstaat nu al. Is hij misschien onderweg? Zal hij er zijn bij de volgende volle maannacht? Vast en zeker, als Yo het voelt. De vrouwen beginnen weer te zingen met schelle stemmen. Over de sterke armen van Munengo, zijn lange benen, zijn warme stem, zijn zwarte ogen en zijn uitgelaten lach.

'Munengo, Munengo, o oho ah ah ah!

Munengo komt naar huis.'

Yéré is klaar. Het meel is geroosterd, precies op de juiste lichtbruine kleur. Ze pakt een deel van de geurige substantie in een bananenblad en brengt het naar Yahi. De woning van Yahi staat wat achteraf, vlakbij een enorme baobabboom aan de rand van het bos. Yahi stampt zelf niet meer. Ze laat zich verzorgen. Ze waagt zich nog wel in het oerwoud om de heel speciale kruiden te zoeken die ze nodig heeft om iemand te genezen of te bevrijden van een betovering, maar dat is eigenlijk hetzelfde.

Ze zit de hele dag te wichelen met haar knekeltjes en haar steentjes die ze bewaart in pikzwarte leren zakken, hangend tegen de wand bij het matje waar ze slaapt.

'Yahi, ze zeggen dat Munengo thuiskomt. Is het waar?'

'Het is waar. De volgende maannacht zal Munengo erbij zijn. Zoek het roodste gras en de zwartste palmpluimen. Buig de langste bamboestengels. Jullie zullen koppen maken zo mooi als nooit tevoren.'

'Zul je erbij zijn, Yahi?'

'Zal ik erbij zijn? Wat denk je? Wie anders kan de heilige drank bereiden? Wat zou je moeten beginnen zonder Yahi?'

'Het is waar, zegt Yéré tegen haar vriendinnen, 'Munengo komt. Yahi heeft het gezegd.'

'Ik wist het toch,' zegt Yo.

's Middags gaan de vrouwen naar de rivier als ganzen achter elkaar over het kronkelpaadje. Het is geen grote stroom, maar hij raast met geweld tussen de stenen. Ze wassen zichzelf, hun kleine kinderen en hun kleren. Ze vangen vissen en brengen water naar huis in emmers en teilen bovenop hun hoofd. En dan verdwijnen ze, de een na de ander zo ongemerkt mogelijk naar het vrouwenhuis, een laag breed bouwsel, waar nooit een man naar binnen mag.

Natuurlijk hebben de mannen hun eigen vergaderruimte waar   de vrouwen geen toegang hebben, veel groter en heel veel mooier maar lang niet zo geheimzinnig.

Jonge jongens scharrelen wel eens onopvallend rond in de buurt van het donkere vrouwenhuis. Ze horen gedempte stemmen en veel gelach, maar ze verstaan niets en ze krijgen nooit iets te zien van wat er daarbinnen gebeurt: de voorbereidingen voor het maanfeest.

Vrouwen hebben maar heel weinig vrije tijd. Ze gebruiken ieder ogenblik daarvan om materiaal te zoeken voor hun koppendans die elke maand in de nacht van volle maan plaatsvindt. Van bamboe en riet vlechten ze enorme bollen. Ze maken er griezelige ogen in en grote bekken vol blikkerende tanden. Kleurige pluimen waaien er hoog uit op. Als ze dan op de vollemaansavond in de schemering een voor een buiten komen met die bouwsels op hun hoofd, zien ze er angstwekkend en onherkenbaar uit. Dat is natuurlijk juist de bedoeling. Boze geesten en wilde dieren blijven op een afstand.

Bij een heilige baobab in het oerwoud komen ze samen. Daar heeft Yahi een trog met gekruide palmwijn waar je licht en vrij van wordt. Hun gejoel en gezang is dan in de verre omtrek te horen. Het begint al gauw nadat de zon onder gaat en het duurt tot de volgende ochtend. De mannen worden geacht binnen te blijven. En dat doen ze ook. Maar sommigen kunnen het niet uithouden.

Als er maar niemand is die je ziet, gaat het ook niemand iets aan waar je heengaat. Zwarte schimmen verlaten het dorp en verdwijnen in het bos. Het heilige gebeuren trekt hen onweerstaanbaar aan. Toch zal geen enkele man zich ook maar in de buurt van het rode vuur wagen. Ze blijven op een flinke afstand. In de nacht van volle maan is het bos vol geesten.

Tegen de ochtend raken de meeste vrouwen bedwelmd. In het hoge bouwsel op hun hoofd woont dan een geest die hen meeneemt, zodat ze in het bos gaan dwalen.

Er is veel moed voor nodig om zo'n bos vol geesten in te gaan en nog meer om zo'n bezeten vrouw aan te raken. Gelukkig zijn de mannen van Womg'bumi zonder uitzondering erg moedig, maar ze spreken nooit over hun ontmoetingen zelfs niet met elkaar.

Munengo komt inderdaad. Plotseling is hij er. Hij stapt op zijn lange benen tussen de hutten door. Op zijn hoofd een geruite tas en een rieten mandje. De kleine kinderen lopen al achter hem aan.

'Munengo, je hebt toch wel snoep voor ons meegebracht?'

De vrouwen blijven op een afstand.

Het eerst moet hij natuurlijk zijn vader begroeten. Dan de andere oude mannen en tenslotte blijft hij heel lang in de hut van zijn moeder. De eerste dag krijgen ze Munengo niet meer te zien.

De volgende dag is het alsof hij nooit weg is geweest. Hij ziet er weer net zo uit als de andere jonge mannen en hij gaat met ze mee op jacht. Munengo is het draven niet meer zo gewend, maar hij wil zich niet laten kennen. Hij springt over gevallen stammen, hij waadt door het bruisende riviertje, hij beklimt gladde rotsen en spettert met zijn blote voeten door de modder.

Als ze ver van huis zijn, blijft Munengo staan. Hij heeft iets op zijn hart.

'Demba, Babukar, Sawato, wacht. Laièn, Assoua, Siofok, Ntho. Luister. Ik moet jullie spreken, voordat ik ermee naar de mannenvergadering ga, wil ik weten wie er instemt met mijn plan.'

Ze dringen dicht om hem heen en Munengo begint te vertellen. Hij komt met een vreemd en onbegrijpelijk voorstel.

'In Oudougoangi, de hoofdstad is het vol met witte mensen. Veel wonen daar in vierkante huizen van steen. En veel komen voor een week of een maand en gaan dan weer terug naar hun eigen land.

Een van die mannen heeft mij uitgenodigd met hem mee te gaan met een vliegtuig, heel ver. Hij wil dat ik in zijn land kom dansen. Maar niet ik alleen. Jullie mogen mee als je wilt.'

Munengo kijkt van de een naar de ander. Sawato schuift zijn blote voeten over elkaar. Siofok prutst aan zijn pijlen. Niemand zegt iets.

Dansen. In Womg'bumi hebben ze er drie woorden voor. Munengo heeft het woord voor de rituele dans gebruikt. Daar doen alle mannelijke dorpelingen aan mee als er iets ernstigs aan de hand is. De maskers daarvoor zijn heel oud en ze worden bewaard in een speciaal geestenhuisje.

Een minder belangrijk ritueel wordt uitgevoerd als Yahi een zieke moet genezen. Daarbij roepen alle familieleden hun voorouders op, ook de vrouwen dansen dan mee. Sommigen raken in trance en zo wordt bekend wat er in het dorp verkeerd is gegaan en hoe de fout kan worden hersteld, zodat de ziekte overgaat.

Natuurlijk is de koppendans er ook nog maar dat is een vrouwenaangelegenheid. Mannen horen daar niets van te weten.

Tenslotte wordt er gedanst als afleiding, als spel. Het zijn eigenlijk oefeningen die bijna dagelijks plaatsvinden. Zelfs de kleinste kinderen slaan met hun handjes op omgekeerde emmers en daarbij wordt gesprongen en gedanst onder aanmoediging van de ouderen. Maar daarmee kun je bij de vreemdelingen natuurlijk niet aankomen.

'Het kost geen geld,' zegt Munengo, 'de witte man zal alles betalen.'

'Waarom wil hij dat?' vraagt eindelijk Demba.

'Ze kennen daar onze dansen niet. Ze hebben nooit zoiets gezien.'

'Wat zouden we moeten dansen, Munengo? Wil het er niet regenen? Moeten we de wolken roepen? Zijn de witte mensen ziek? Maar onze voorouders zullen niet meegaan in het vliegtuig en die van de witte mensen kennen we niet. Welke geesten wonen daar? Wij kunnen niet de voorouders van de witte mensen dansen. Het zou helemaal verkeerd gaan.'

'We nemen trommels mee,' zegt Munengo, 'Als de trommels praten, komt de dans vanzelf.'

'Dat zullen de oude mannen niet toestaan, nooit.'

Munengo had al gedacht dat het niet mee zou vallen zijn vrienden te overreden, maar hij wil zelf zo graag.

'We zullen nieuwe trommels maken. Dat is het beste en ook nieuwe maskers.'

'Munengo, denk toch eens na. Misschien weten we pas na een jaar welke geesten in dat land zijn en hoe de maskers gemaakt moeten worden.'

'Nee,' zegt Munengo, 'Zo moeilijk is het niet. Het wordt meer gedaan. Ook in onze hoofdstad wordt er gedanst door mensen van ver weg. Ze doen het voor de toeristen. Iemand begint te drummen en dan gaan ze dansen, zomaar.'

De vrienden van Munengo kunnen het haast niet geloven: zomaar dansen. Het is beangstigend.

'Waarom vraagt die witte man jou? ons? Waarom niet die mannen die het toch al voor de vreemden doen?'

'Hij denkt dat het echter is als wij komen omdat wij hier nog precies zo leven als onze voorouders.'

'Het kan nooit echt zijn daar, zo ver van de vadergeesten.'

'Je hebt gelijk,' zegt Munengo, 'maar dat weten de witte mensen niet. Ze begrijpen er niets van.'

'En toch willen ze dat wij komen?'

'Ja, ze willen het zien. En ik zou heel graag hun land willen zien. Vooral als we samen kunnen gaan. Denk erover, maar laat de ouden er niet van horen voordat ik in de mannenvergadering ben geweest.'

Munengo hoeft niet lang te wachten op een mannenvergadering. Geen van de jongeren heeft iets verteld maar hun onrust is voor iedereen zichtbaar. Munengo heeft weer eens voor opwinding gezorgd.

Hij is er indertijd op uit gestuurd met volle instemming van zijn vader en van de raad van wijze mannen. De stam woont diep in het oerwoud. Er is alleen een smal pad naar een groter dorp waar wel eens witte mensen komen. Ze wisten allang dat de witte mensen een volkomen ander soort toverij hebben dan zijzelf en daar wilden ze best eens meer van horen. Ze hebben Munengo wel gewaarschuwd: 'Hoe meer je met hen omgaat, hoe meer je op hen gaat lijken, maar vergeet het niet: zelf word je nooit wit, dus nergens zal je meer thuis zijn.'

De toverij die hij meebracht werd van alle kanten bekeken en bewonderd: foto's, horloges, een radio. Maar wijzer zijn ze er niet van geworden. En Munengo draagt zijn horloge voortdurend. Dat kan niet goed zijn. Welke invloed heeft zo'n ding? Het is allemaal zeer verontrustend. En nu dit weer.

In het mannenhuis zit zijn vader Ngunza, het hoofd van het dorp, op een kleine verhoging, alle anderen om hem heen op de grond. Ze kauwen op betelnoten en spuwen dunne rode straaltjes nauwkeurig gericht in het gootje dat achter hen langs de wand loopt. De mieren zullen het gootje niet oversteken.

'Munengo, je bent veel dagen weggeweest.'

Ngunzá is lang aan het woord en hij wordt telkens onderbroken.

14

Munengo hoeft niet te antwoorden. Hij laat de woordenstroom over zich heen gaan. Eindelijk mag hij zelf iets zeggen. Er wordt verwacht dat hij verantwoording aflegt. Wat heeft hij op deze laatste reis beleefd Kan hij nu eindelijk eens uitleggen wat hij van de witte mensen heeft geleerd?

Munengo heeft zulke ondervragingen meer moeten ondergaan. Hij begint te vertellen over zijn leven en zijn werk in de hoofdstad. Hij weet hoe hij de oude mannen kan boeien.

Dan deelt hij geschenken uit, nog meer horloges, stalen messen en bonte lappen katoen, want hij heeft veel verdiend deze keer.

De mannen weten heel goed wat geld is, hoe weinig er te verdienen is met de enkele dingen die ze zelf kunnen verhandelen. Ze hebben gehoord hoe erbarmelijk sommige jongens uit andere dorpen leven die ook naar de stad zijn gegaan. Munengo is ver gevorderd in de toverkunst van de blanken, dat is duidelijk.

'Ik heb geluk gehad,' zegt Munengo, 'veel geluk en ik heb ook hard gewerkt. Ik heb hun taal zo goed geleerd dat ik hun boeken kan lezen. Ik weet een beetje hoe de rijke mensen denken. Toen ben ik in een duur hotel gaan werken. En nu ben ik gids geworden. Al onze jongens proberen dat maar de meesten vatten het te gemakkelijk op. Ik werk alleen voor mensen die geld hebben. Ik weet wat ze willen ook als ze het zelf niet weten en ik kan goed vertellen. Daarom betalen ze goed.'

Munengo blijft stil zitten. Om hem heen klinkt gemurmel. De mannen bekijken hun pas verworven messen en horloges. Het wantrouwen is niet verdwenen.

'Een mes,' zegt Bapo, 'Het is een goed mes maar waar die andere dingen goed voor zijn? Ik begrijp het nog altijd niet.'

Munengo heeft het meer dan eens uitgelegd. Als twee mensen een afspraak maken, kiezen ze een bepaalde plaats en een bepaalde tijd. De tijd staat op het klokje. Bapo maakt dat soort afspraken nooit, dus hij zal het ook nooit begrijpen.

Maar Bapo is een van de oudsten. Er zijn ook mannen die heel begerig zijn naar de wonderen waar Munengo over heeft verteld.

'Ik ben de enige van ons dorp die met witte mensen omgaat,' zegt Munengo, 'Ik doe mijn best maar het zou beter zijn als jullie meer jonge mannen lieten gaan. Zij zouden andere dingen leren. Ze zouden het misschien beter kunnen vertellen dan ik.'

Nu moet hij zijn plan aan de oudsten voorleggen. Hij durft de vergadering niet wijs te maken dat de witte mensen zo gek zijn om naar het gewone gespring te willen kijken en om voor vreemden een min of meer heilig ritueel uit te voeren, daarmee hoeft hij bij deze mannen helemaal niet aan te komen, maar inmiddels heeft Munengo iets beters bedacht. Vroeger was het gebruikelijk dat hele dorpen dagenlang liepen om naar elkaars feesten te aan. Begrafenissen van koningen, vechtfeesten. De mannen waren daarvoor prachtig versierd. Nu gebeurt dat niet meer, want in de koloniale tijd zijn die feesten streng verboden. Maar het is heel gewoon dat blanken dingen doen die ze de zwarten niet toestaan. Munengo beweert dat hij witte mensen kent die in hun land waar ze ijzige winters hebben een zonnefeest gaan vieren en ze willen heel graag dat daar mensen komen uit het land waar de zon het zoveel meer naar zijn zin schijnt te hebben dan bij hen.

Nu hebben de mannen iets waarover ze nog uren kunnen discussiëren. Als zijn plan doorgaat, zal hij later wel zien hoe hij het voor elkaar krijgt om de nodige trommels, maskers en versieringen te fabriceren, zodat de witte man, die hem heeft uitgenodigd met zijn vrienden naar Oostenrijk te komen, tevreden zal zijn. Want die meneer wil maskers. Dat heeft hij heel duidelijk gesteld.

Niet iedereen is gelukkig dat Munengo er weer is. Zijn broer Demba had liever gehad dat hij was weggebleven, want nu is hij zelf niet meer de oudste.

Hij mag pas uit de grote gemeenschappelijke schaal eten nadat Munengo zijn eerste hap heeft genomen. Hij moet alles doen wat Munengo zegt. Zo is het geregeld in Womg'bumi. Iedereen weet precies in welke rangorde hij staat ten opzichte van familieleden en andere dorpelingen en degene die boven je staat moet je gehoorzamen. Het komt weliswaar nooit voor dat Munengo onaangename opdrachten geeft, maar hij zou het kunnen doen en het is een heel ander gevoel de baas te mogen spelen over je broers en neven dan voortdurend op de tweede plaats te moeten staan. Demba heeft er vooral moeite mee, omdat hij weet dat hij sterker en leniger is en meer thuis in het oerwoud dan Munengo. En dat idiote idee om in een ver land te gaan dansen voor vreemde mensen staat hem helemaal niet aan.

Demba heeft er niets over te zeggen.

In Womg'bumi is de vader van Munengo de baas. Het kost nog een paar dagen voordat de knoop wordt doorgehakt. Dan krijgt Munengo te horen dat hij met de broers, neven en vrienden van zijn leeftijdsgroep mag gaan. Het zal een groep van veertien jonge mannen worden.

Nu kan Munengo aan de slag. Er moet heel wat gebeuren. Het is de vraag of alles wel op tijd zal klaarkomen, maar Munengo tobt er niet over Hij zal hij wel zien hoe het loopt.

En het genoegen van de maannacht laat hij zich ook niet ontgaan. Zogenaamd slapend in zijn hoekje in de hut luistert hij gespannen naar het joelen van de vrouwen ver weg in het bos. Zijn broer Demba is al onhoorbaar weggeslopen, maar hij heeft het toch gemerkt. Munengo wacht nog een poosje, dan gaat hij ook, eerst kruipend, heel langzaam, buiten stap voor stap spiedend om zich heen. Hij duikt weg achter de omheining als hij verderop een schim denkt te zien. Maar eenmaal in het bos rent, springt, danst hij tussen alle obstakels door in de richting van het vrouwengezang.

Hij voelt de spanning toenemen. Nu mag hij niet dichterbij komen. In een boog gaat hij lopen, schijnbaar rustig. Het grijze maanlicht blijft hoog in de bomen. Grove trossen parasieten en taaie woekerplanten hangen als vangnetten aan zwarte stammen en manshoge varens groeien er dwars doorheen. Met slangachtige bewegingen kruipt Munengo ertussendoor. De broeierige warmte van de dag is hier blijven hangen. Er is geen zuchtje wind. Waar iets beweegt moet leven zijn.

Het gezang van de vrouwen vermindert. Dichtbij gebeurt er iets. Munengo verwijdert zich van een donkere massa die zucht en kraakt.

En dan staat hij plotseling tegenover een spook. Wijde ovale ogen staren hem uit de hoogte aan, donkere gaten in een enorme bol die glanst in het maanlicht. Erboven trillen dunne pluimpjes en er hangen fijne lichtgekleurde vezels van af. Iets daaronder, smal en donker, is in de nacht niet te zien. Het ding lijkt te zweven.

Munengo strekt zijn handen uit. Het spook is warm en vochtig. Hij trekt het tegen zijn eigen blote lijf en de ronde kop valt opzij.

Yo en Munengo blijven bij elkaar totdat de vogels laten horen dat het dag wordt. Yéré en Siofok, Niama en Demba, Ndumbe en Assoua, of misschien was het Babukar, dat weet ze niet zeker, proberen weer even ongemerkt thuis te komen als ze zijn weg gegaan. Ze hebben verkeerd met een geest.

De jongens die nog niet getrouwd zijn, de vrouwen van uitgebluste mannen hebben nieuwe krachten opgedaan. Niemand heeft gemerkt dat ook de kleine Fodé rondsluipt in het bos. Hij probeert met de nachtogen van de pangolin de geheimzinnige schemer te doorboren. Fodé is nog niet lang op weg, als hij een hol getik hoort. Angstig duikt hij in elkaar achter de reusachtige wortelschijf van een omgevallen boom. Het geluid komt nader: het is Yahi. Ze heeft ervoor gezorgd dat elke vrouw van haar brouwsel heeft gedronken. En toen vond oude Yahi het wel genoeg. Zij bouwt geen koppen meer, dat is voor de jongeren. Ze heeft haar spullen bij elkaar gebonden en strompelt op stokkerige oude beentjes terug naar haar hut. Fodé hoort het gerammel van de lege kalebassen en hij ziet wie het is, die daar vlak langs hem gaat, de oude heks. En hij bibbert van narigheid. Natuurlijk heeft ze gemerkt dat hij daar zit. Zij heeft de pangolin niet nodig om in het donker te kijken. Ze zal hem veranderen in een hagedis. Ze zal hem doodziek maken. Fodé gaat terug naar huis en hij ligt op zijn matje slapeloos te wachten op een onheil dat zich onherroepelijk voltrekken zal.

Een dag later vertrekt Munengo weer. Voor dag en dauw, al eerder dan de schoolkinderen stapt hij snel en veerkrachtig over het kronkelpad, de geruite tas op zijn hoofd is bijna leeg. Hij hoopt op een lift in Mwaka, het dorp waar de school staat. Maar daar is vandaag niemand die ergens anders moet zijn. Geen lift. Hij koopt een paar vruchten van een vrouw die op de grond op klanten zit te wachten en dan loopt hij verder, nu over een breder pad, waar soms wel eens auto's over de kuilen bonken.

Aan het eind van de dag bereikt Munengo een grotere plaats, Mbongue. Daar is een taxistation, een zanderige vlakte buiten de woonwijk. Hij gaat op zoek naar een beschut plekje om te overnachten, want vandaag kan hij niet verder komen. Vroeg in de ochtend vindt hij een pick-up die de goede kant uitgaat. Pas als er helemaal niemand meer bij kan, zal het rammelende vehikel wegrijden. Dat kan nog wel even duren. Met touwen worden tassen en zakken van de passagiers op het dak van de cabine gebonden. Een gedeelte hangt achter de bak en zo hobbelt hij na een paar uur weer wat verder. Voor de hele reis naar de hoofdstad heeft Munengo drie dagen nodig.

In Oudougoangi zit meneer Fünkelstab ongeduldig op hem te wachten. Het is een man met een hangbuik. Hij heeft een gezicht vol plooien en een grote bewegelijke mond met lange bruine tanden erin. Maar het meest opmerkelijke van de man is zijn onuitputtelijke energie.

'Waarom ben je zo lang weggebleven? Waar zijn de foto's van je mensen? Denk je dat je zonder foto's een paspoort krijgt? Ze moeten minstens een maand van tevoren hier zijn. Anders komt er niets van terecht.'

Munengo knikt. Hij weet dat ze van alles nodig hebben. Niemand van de jongens bezit meer dan een enkel T-shirtje en een versleten broek. Ze hebben zelf geen cent. Het zal allemaal wel goed komen. Witte

18

mensen doen altijd zo opgewonden. En als het niet goed komt, nou dan niet. Fünkelstab bedaart. Munengo moet dan maar vast de namen van het gezelschap opgeven.

'Dao heten ze.'

'Ze heten toch niet allemaal Dao?'

'Allemaal. We zijn familie van elkaar.'

'O juist. En de voornamen?'

'Ja. Hoe was het ook alweer? Hijzelf heette Michel en Demba was op school altijd Félipe, maar de anderen? Hij weet er nog wel een paar en de rest verzint hij, want de Afrikaanse namen zijn te moeilijk. Niemand weet, hoe je ze schrijft.

'Geboortedatum?'

'We zijn allemaal ongeveer even oud.'

3

Körnerstachelturm is een decoratief stadje tussen vier massieve Alpentoppen in Tirol. Het is begin juni. De deelnemers aan het festival stromen toe in auto's, vliegtuigen en treinen. Bussen wurmen zich door smalle passen. Ze klimmen tegen steile hellingen op en daveren er weer af.

In een van de bussen zit Evelien. Ze heeft vluchtig kennis gemaakt met de andere passagiers. Die gaan dus de komende week optreden in een folkloristisch pak: van je hup hup hopsakee, klepperdeklap op klompen. Waar die mensen zin in hebben.

Ze heeft een tas gezet op de plaats naast haar en ze sluit zich af voor de gesprekken om haar heen die de tetterende muziek en het motorgebrom overstemmen. De namen van haar reisgenoten weet ze al niet meer. De reis duurt lang.

'We zijn er.'

Alle suffe hoofden gaan opeens omhoog. De bus kruipt als een kever over hobbelige steile straatjes naar een plein met lindebomen. Een breed gebouw, wit vakwerk tussen zwarte balken en ronde gouden letters 'Zum Roten Ochsen'. De rode os bungelt zachtjes heen en weer aan een ijzeren smeedwerk vol krullen. Een deel van het gezelschap moet hier uitstappen. Evelien zal met nog een paar anderen logeren in een hotel hoger in de bergen.

Het is acht kilometer verderop, een weg vol bochten en bulten. De bijna lege bus klappert eroverheen.

Het hotel waar ze terecht komen lijkt klein, maar aan de achterkant is er een nieuw stuk aangebouwd. In de hal kijken herten en zwijnen met glazen ogen op de gasten neer. Een jonge vrouw met een vlecht om het hoofd verstrekt de sleutels. Willen ze nog dineren? Dat kan. Over een half uur is het klaar. Achter die deur is de bar.

Evelien krijgt een smalle kamer in de nieuwbouw, gelukkig voor haar alleen. Nu moet ze zich opknappen voor het eten.

Opknappen, het woord haakt zich vast, jezelf knapperig maken, hard worden, de buitenkant van stijf ondoordringbaar karton.

Evelien blijft stil staan. Ze staart naar een schilderijtje dat boven het bed hangt in een witte lijst. Het stelt een ijskoude berg voor zonder een sprietje groen of zelfs maar een besneeuwde boom.

Het ís hier koud en afschuwelijk deprimerend. Wat doe ik hier? Waarom ben ik eigenlijk meegegaan? O... Hoe lang sta ik hier al?

Ten slotte wordt het noodzakelijk dat ze in het toilethokje stapt. Razend lawaai als ze de wc doortrekt, handen wassen, een wit gezicht in de spiegel en dan toch maar wat gaan eten. Als allerlaatste voegt ze zich bij de mensen om de bar.

Rozemarie heeft zich opgetuigd. Ze staat te praten met Lies Liefferink, de schooljuffrouw. Een lange man met een kalend hoofd, waardoor hij nog langer lijkt, houdt een gesprek met het meisje achter de bar. Evelien weet nog dat hij Engelbert Winsloo heet en journalist is. Zeker van een of ander stom dorpskrantje. Het enige meisje van haar eigen leeftijd, misschien iets ouder, heet Lydia. Ze is sproetig met donkere krullen en ze lijkt heel spontaan. Frits voelt zich blijkbaar nogal tot haar aangetrokken. Rieks, de chauffeur van de bus zit met zijn voeten om de poten van de barkruk heen voor zich uit te kijken en de enige die overblijft is een schutterig jongetje van een jaar of zestien met geel plakhaar, een van de twee muzikanten. Hij heet Johannes en Rozemarie heeft haar gewaarschuwd: hij wordt vaak Jootje genoemd, maar hij vindt het vreselijk, als je dat tegen hem zegt. Evelien is niet van plan ook maar iets te zeggen tegen Jootje. Er zijn ook nog twee heren die hier waarschijnlijk thuishoren en verderop in lage stoelen rondom een flakkerend vuur zitten negen zwarte mannen. Ze praten met elkaar in een onbekende taal.

Evelien hoort nergens bij. Ze wacht even, de barjuffrouw kijkt haar kant niet uit. Niemand kijkt naar haar om. Was ze maar thuisgebleven.

Het is nogal donker in de ruimte. De vlammen uit de haard geven vreemde lichteffecten op de zwarte gezichten van het groepje bij de haard.

Eindelijk zegt Frits: 'Zullen we eens gaan kennismaken met de andere gasten? Ik denk dat zij ook voor het festival komen. Er staat een dansgroep uit Womg'bumi op de lijst, maar ik weet niet waar ter wereld dat ligt.'

Hij stapt erop af en begint Engels tegen hen praten. Maar ze verstaan hem niet, ze spreken Frans.

'Ah, dat komt goed uit. We hebben een jongedame bij ons, die is bijna een Française. Evelien, kom eens hier. Evelien?'

Waar is Evelien, ze stond zopas nog bij de bar.

Na een kwartier komt iemand zeggen: 'U kunt aan tafel gaan.'

Maar Evelien is nog niet teruggekomen. 'Ik zal eens bij haar gaan kijken,' zegt Rozemarie. 'Gaan jullie maar. Ik kom wel.'

Evelien ligt op haar bed met het hoofd in het kussen te snikken. Als Rozemarie binnenkomt, gaat ze rechtop zitten. Natte wangen, dikke rode ogen.

'Wat heb je, Lien?'

'Dat h heb hik shoms, snik, maar niet zo vaak meer.'

Rozemarie gaat naast haar zitten. 'Kan ik je helpen?'

'Natuurlijk niet.'

'Ons eten staat klaar.'

'Nou, ga dan eten.' En Evelien stort zich weer voorover in haar verdriet.

'Kom je ook, of zal ik wat voor je halen?'

'Ik wil geen eten.'

'Wat wil je wel? Iets drinken? Mineraalwater?'

'Ik wil niks. Ga maar weg.'

'Ik vind het vreselijk, je zo hier alleen te laten, Evelien.'

Ze komt weer half overeind.

'Moet ik me dan zo bij al die mensen vertonen? En als ik eet, stik ik erin. Het gaat echt wel weer over. Dat doet het altijd. Hoeoewoeoe!'

Rozemarie verlaat stil de kamer. In de eetzaal vraagt ze een fles mineraalwater en een broodje. Er wordt een blad voor haar klaargemaakt: wit en bruin brood met dikke plakken worst erbij. Als Evelien het ziet, duwt ze het bord met afschuw van zich af, maar zo gauw Rozemarie de kamer uit is, valt ze aan en ze verslindt alles met grote happen. Daarna blijft ze nog een poosje lekker janken, tot ze aangekleed in slaap valt.

In de eetzaal wordt een vet en machtig maal opgediend.

'Met zo'n volle maag kan ik niet slapen,' zegt Frits. 'Ik ga een eindje lopen. Ga je mee?'

Rozemarie heeft er geen zin in. Hij trekt een trui aan, want het is koud. Vanaf het hotel loopt een stenen pad omhoog langs een golvende wei. Hogerop staat een groepje bomen. Frits begint erheen te klimmen. Al gauw kan hij het dorpje beneden in het dal overzien: een spits torentje en kromme rijtjes huizen. Vanuit de hoogte lijken alle daken op elkaar.

Frits snuift: Alpengeur heerlijk. Na een poosje komt hij Evelien tegen. Ze heeft een vlekkerig gezicht, maar ze huilt niet.

'Hallo.'

'Ha Evelien, wil jij ook de schone berglucht proeven?'

'Ik moest er even uit.'

'Is het goed met je, Evelien?'

'Niet zo erg.'

Aan de kant van de weg is een greppeltje. Daarachter liggen hopen stenen. Frits zoekt een effen plekje waar ze kunnen zitten.

'Mammie zegt dat haast alle jonge meisjes het hebben. Het schijnt bij mijn leeftijd te horen. Hormonen, zegt ze. Dat denk jij zeker ook.' Het klinkt berustend, maar heftig komt erachteraan': 'Ik barst van de hormonen.'

'Ik denk het niet,' zegt Frits. Ik denk dat je gewoon verdriet hebt. Dat kan hard aankomen, vooral als je jong bent.'

'Ja.'

'Je had daar in Frankrijk niemand om op terug te vallen. Dan kost het meer tijd om het te verwerken. Je hoeft niet te zeggen wat je beleefd hebt, hoor. Ik theoretiseer maar een beetje.'

'Je mag het best weten.'

Evelien is een ogenblik stil. Dan komt het hele verhaal eruit.

Frans studeren in Grenoble. Geweldig heeft ze zich erop verheugd. Ze verwachtte in een internationale gemeenschap terecht te komen. Het was niet internationaal en helemaal geen gemeenschap.

'En ik was te lang.'

'Ja? Fransen zijn over het algemeen wat kleiner van stuk, maar het scheelt toch niet zoveel. Jij bent niet abnormaal lang.'

'Ik was een slungel. Ik zag er anders uit en ik liep anders. Maar ik wilde toch mezelf blijven.'

'En daardoor bleef je alleen.'

'Nee, want toen was er die jongen.'

Frits knikt onmerkbaar in het donker.

'Het was een zwarte jongen en hij was net zo alleen als ik. Die anderen mochten hem niet erg. Ik vond het een kliek conservatievelingen. Ik zou wel eens laten zien, dat het niets uitmaakt welke kleur iemand heeft.'

'Natuurlijk.'

'Hij is er vandoor gegaan met alles wat ik had. Eerst was de ring met de briljant van oma Eva verdwenen. Toen had ik opmerkzaam moeten worden, maar het kwam niet bij me op hem te verdenken. Totdat ik een keer thuiskwam en alles was weg, mijn geld, boeken, truien, een goede jas, alles.'

'En toen je hier die zwarte jongens in de bar zag, kwam het allemaal weer boven.'

'Nee Frits. Of ja misschien, maar het is nooit weg. Het wil maar niet overgaan en dat kan ik niet uitstaan. Hij deugde van geen kanten, maar ik mis hem zo erg.'

'Ik begrijp het.'

'Ja, denk je dat? Ik geloof er niks van.'

Frits staat op. 'De ellende van dit soort dingen is dat niemand je ermee kan helpen. Je moet het zelf uitvechten en volgens mij ben je al een aardig eind op weg. Maar kom, we kunnen hier niet blijven zitten. Je wordt steenkoud.'

Ze lopen gearmd het weggetje af. Voordat ze naar binnen gaan zegt Evelien: 'Als ik nou maar niet weer verliefd word op zo een.'

'Och,' zegt Frits, 'de kans dat die dan ook niet deugt is maar erg klein, hoor.'

Bij het ontbijt vertelt Engelbert Winsloo het programma van de dag. Om half elf zullen ze met de bus naar Körnerstachelturm vertrekken. Om elf uur is er een ontvangst op het plein. Toespraak van de burgemeester en hoempamuziek. Samen met de anderen zullen ze lunchen in de Rode Os. Daar moeten ze zich dan verkleden voor een optocht in het dorp. Pas de volgende dag wordt er gedanst.

'We dineren vanavond ook in de Os,' zegt Engelbert, 'en daarna kan ieder op eigen gelegenheid nog even het stadje ingaan. Om elf uur moeten we weer bij de bus zijn om hierheen te rijden.'

Na het ontbijt gaat bijna iedereen naar buiten, want het is een stralende dag. Op het terras zitten de dansers uit Womg'bumi met elkaar te praten en te lachen. Er zijn er meer dan gisteren, nu al veertien. Ze zijn gekleed in dunne jasjes en broeken met ruiten en strepen, blauw, rood, geel. Verschillende dragen een hoed. Tussen hen in staan vijf grote trommels en een paar kleinere.

En nu is het de jongen met het gele kuifje, Johannes Roeterdink, de muzikant, die erop af gaat. Hij bekijkt de trommels van alle kanten. Hij spreekt geen woord Frans en van de taal die ze onder elkaar gebruiken kan niemand iets begrijpen, maar het contact is gauw gelegd.

Ze beginnen met namen: 'Jij Johannes? Ik Maurice.' Ze heten Maurice, Michel, Félice, Félipe en Félipe-deux, uitgelaten gelach. Er is ook een Maurice-deux.

En nu jullie: 'Rieks, Rozemarie, Lydia, Evelien en Lies. Mooi, mooi, mooi. Vooral Lydia vinden ze mooi, maar dat geldt niet alleen haar naam.

Johannes mag een trommel proberen. Michel, een jongen met een brede lach doet het voor. Met platte handen: dum dumdumdedumdum dum. 'Je moet hem laten spreken.'

Ook Lydia en Rozemarie krijgen les.

Totdat er opeens drie taxi's de berg opklimmen. De Afrikanen worden gehaald om naar het dal te gaan. Hun trommels en een paar koffers worden erbij in de auto's gepropt.

Een kwartier later rijdt de bijna lege bus met Hollanders erachteraan.

'Dat doen we de volgende keer anders,' zegt Engelbert.

Evelien laat zich vervoeren, naar het plein in Körnerstachelturm, naar de lunch in de Rode Os, zelfs naar de verkleedpartij. En dan moeten Rozemarie en Frits, Engelbert Winsloo en alle anderen aantreden voor een eindeloze optocht en zij moet helemaal in haar eentje aan de kant gaan staan.

Het is niet verschrikkelijk. Zij heeft tenminste geen gesteven witte muts op haar hoofd, niet een paar lagen zware rokken over elkaar en ze hoeft niet stamperdestamp op klompen ten aanschouwe van het volk door de holle straatjes te marcheren. Ze heeft met niemand wat te maken en kan gaan waar ze wil.

Eerst blijft ze kijken. Dikke koperblazers met rode koppen lopen voorop. Dan komen de verschillende groepen en er zijn prachtige mensen bij met schitterende costuums en vrolijke muziek.

Als ze hun eigen boerendansers ziet, is Evelien zelfs ontroerd. Frits en Rozemarie zien er best leuk uit, maar ze vindt de lange Engelbert idioot in het boerenpak.

Ze besluit niet langer te blijven staan, het is fris, de zon is weg. Ze zal het stadje bekijken en dan thee of koffie drinken in de Os, totdat de anderen zijn uitgedefileerd. Maar er komen steeds meer bonte groepen langs die soms ook nu al echt dansen. Dit moeten Zuid-Amerikanen zijn. De winderige muziek van pan-fluiten. Wat een kleur, nog even.

Achter de Zuid-Amerikanen komt de bekende groep uit Afrika. Ze hebben zo goed als niets aan. Een smal schortje van luipaardvel wipt op hun gespierde billen, franjes slieren om armen en benen en aan hun hals en oren bungelen allerlei versiersels, maar ze dragen geen kleren en ze komen uit een gloeiend heet land. Ze hebben zelfs blote voeten. Wat vreselijk. Ze zullen ziek worden, griep, diarrhee, longontsteking. Ontzet staat Evelien te kijken.

Hun bewegingen gaan soepel als een golf, ze draven de Bolivianen voor hen voorbij, klets klats, op de straatstenen, langs een troep Schotten, die piepen op hun doedelzak en weg uit het gezicht.

'Goed zo,' zegt Evelien hardop.

Ze blijft niet staan om de rest van de optocht te zien, maar zoekt een klein winkelstraatje. Souvenirs zijn hier genoeg te koop, maar verder stelt het weinig voor. Wat geeft het, ze wil ook niets kopen. Ik wil alweer niks, denkt ze verdrietig, helemaal niks.

Ze begint te dwalen, weg uit de samengeknepen knussigheid van de huisjes en de winkeltjes met hun beschilderde voorgevels en antiekerige uithangborden. Een straatje verandert in een pad en voert steil omhoog de bergen in. Op de hoogste top ligt nog sneeuw. Dat gevaarte staat daar maar altijd door te dreigen naar de kleine mensjes beneden en hij doet ze nooit wat. Nou, misschien toch: eens in de zoveel jaar een lawine, die zo'n koeienhut van het randje schuift. Het is mooi, maar eigenlijk houd ik niet ven bergen, constateert Evelien. In Grenoble zijn ze ook, maar niet zo opdringerig als hier. Waar was nou ook weer die os? Vragen? 'Wo ist Zum Roten Ochsen?' Nein. Zelf vinden.

Het stadje is groter dan ze dacht. Ze hoort nog steeds muziek. Hier boven klinkt alles door elkaar.

Terwijl ze loopt en loopt, begint het gevoel van onwezenlijkheid weer toe te nemen. Eerst kiest ze bewust een weg die daalt. Ze vindt aan het eind een trap naar boven. Een lange dode muur brengt haar in verwarring. Moet ze nu links of rechts? Ze raakt haar gevoel van richting kwijt en langzamerhand ook dat van tijd. Doelloos wandelt ze ongeveer heel Körnerstachelturm door. Het komt niet meer in haar op de weg naar de Rode Os te vragen.

Daar zit Rozemarie al lang weer in haar gewone kleren aan haar voeten te wrijven. Dansen op klompen is best leuk, maar zo'n eind lopen... Au. Ze bestelt koffie. Waarom is Evelien hier niet?

Het wordt vol in de donkere ruimte, Een groepje Hollanders zit bij elkaar, verderop de Fransen die ook hier logeren. Steeds meer mensen blijven staan bij de bar. Ze drinken grote potten bier en bewolken het bruine plafond met rook.

'Straks komt Evelien binnen en kan ons niet vinden.'

'Zo onnozel is ze niet,' zegt Frits.

'Als er maar niets met haar is gebeurd. Enge mannen.'

'Wil je dat ik haar ga zoeken, Roos? Het lijkt me een onbegonnen werk in het gekrioel van al die straatjes en ook overdreven, maar als je ongerust wordt ga ik wel.'

'Nee Frits.' Maar ze is wel ongerust. Ze weet bij benadering niet, hoe haar zus er nu eigenlijk geestelijk aan toe is. De ene keer lijkt het of ze toneel speelt en dan doet ze weer iets zo onbegrijpelijks, dat Rozemarie denkt: ze is gek. Ze kan zo afwezig zijn dat ze niet eens hoort wat er tegen haar wordt gezegd. Rozemarie legt haar tas op de stoel en gaat bekenden langs, Engelbert, Lies Liefferink, Johannes en de rest.

'Hebben jullie Evelien gezien?'

Alleen bij het begin van de optocht, later niet meer. Ze vraagt het ook aan een paar van de jongens uit Womg'bumi, die met de Fransen aan de bar staan te praten.

'Evelien, dat lange meisje, dat bij ons was.'

Ze weten het niet. Rozemarie gaat weer zitten. In een grote eetzaal is een lange tafel voor hen gedekt. Aan kleinere tafels wordt al gegeten.

De zon verdwijnt al vroeg achter de hoge bergen. Evelien krijgt het koud. Ze heeft een tijdje stilgestaan voor een café. Het zal daarbinnen wel warm zijn, maar veel te druk. Er komen mensen naar buiten, Scandinaviërs. Ze kijken haar niet aan. Als ze een troep jodelende Tirolers tegenkomt, blijft ze dicht langs de huizen lopen. Ze wil ergens gaan zitten. Waar? Op een stoep?

Evelien staat besluiteloos naar een hoge stoep te kijken. Dan komen er twee mannen naar haar toe. Het zijn Demba en Babukar. Ze waren in de Os, toen Rozemarie naar haar zusje heeft gevraagd.

'Eveline, ja?'

De jongens zijn erg verheugd dat ze haar hebben gevonden. Evelien komt bij uit haar dromerige toestand nu er tegen haar wordt gepraat.

'Ja, ik ben Evelien. Hoe heten jullie ook weer?'

'Félipe.'

'Ik Félice.'

Ze moeten hard lachen. Munengo heeft zomaar een paar namen opgegeven. Babukar heette Boniface toen hij op school zat en nu weer Félice. Het maakt hem niets uit.

'Ben je verdwaald? Wij zullen je naar het hotel brengen.'

Ze vinden haar een zielig ontredderd meisje Félipe-Demba slaat vertrouwelijk een arm om haar heen. 'Kom maar, meisje.'

Félice-Babukar-Bonifce doet hetzelfde aan de andere kant. Evelien voelt zich warm worden en veilig. In vijf minuten zijn ze bij het hotel.

'Gaan jullie mee naar binnen?'

Dat doen ze niet. Meneer Fünkelstab verwacht hen ergens anders, maar: 'We zien elkaar vanavond. We rijden mee in de bus.'

Evelien stapt door de hoge deur van de Rode Os en ze deinst onmiddellijk terug. De warmte in de donkere hal, de etenslucht en het geluid van veel mensen zijn te benauwend. Buiten staat de bus.

Misschien kan ze erin. Maar Rozemarie heeft nu geen ogenblik meer haar ogen van de deur afgehouden. Ze vliegt op Evelien af en sleept haar mee.

'Kom gauw. De soep is al opgediend.'

De eetzaal lijkt eindeloos groot en vol. Lange tafels in het midden, ronde langs de kant. Obers met grote witte schorten en dienstertjes in dirndldracht.

'Ik heb geen honger,' zegt Evelien.

'Dat dacht ik al. Hier mag je zitten.'

In het restaurant waar Demba en Babukar als laatsten binnenkomen, krijgen ze er meteen van langs. Munengo heeft hen zien lopen met Evelien.

'Dat kun je niet doen. Blanken raken een zwarte niet aan. Dat doen ze nooit. En als wij hun vrouwen aanraken... Ze spugen op ons.'

'Man, we hebben haar alleen naar het hotel gebracht. Het arme kind was verdwaald, een beetje weg van de wereld.'

'Daarom juist. Je kunt er de grootste last mee krijgen.'

'Jij hebt anders zelf gezegd, dat vrouwen makkelijk te krijgen zijn.'

'Dat is ook zo. Als je maar verschrikkelijk goed uitkijkt wie je te pakken neemt. Met een loslopende meid mag je je gang gaan. Niet met een die bij iemand hoort en ook nog in hetzelfde hotel woont. En nooit op straat, zolang je niet heel zeker van haar bent.'

Munengo is verantwoordelijk voor de jongens. Ze moeten niet nu al met die kunsten beginnen.

Demba en Babukar gaan zwijgend op de rare hoge stoelen zitten. Ze zwoegen met vorken en messen op het merkwaardige eten dat hen wordt voorgezet. Gelukkig is er al gauw weer iets om te lachen.

Ruim voor elf uur begint de bus vol te lopen. Rieks laat de motor draaien. Het diner heeft veel te lang geduurd. Alleen Jootje en Lydia zijn nog de stad ingegaan, maar niet met elkaar.

Ze komen ook niet samen terug, maar ze zijn wel allebei in gezelschap van een paar Afrikanen.

Evelien is op hetzelfde plekje gaan zitten als vanmorgen met de tas op de lege plaats. Als Demba binnenkomt haalt ze de tas weg en hij gaat naast haar zitten. Ze is niet meer afwezig.

'Ik zag jullie in de optocht. Heb je het niet vreselijk koud gehad?'

'Helemaal niet. We zijn gewend zonder kleren te lopen.'

'In je eigen land, ja. Ik was bang dat je ziek zou worden. Dat jasje is niet warm genoeg voor ons klimaat.'

'Ik ben warm. Voel maar.'

Demba is warm en hij is heel dichtbij. Hoe kan het, denkt Evelien. Rozemarie is nog geen een keer met haar aandacht dichtbij me geweest en Frits maar even, toen op dat weggetje. Deze zwarte jongen hoeft niet eens iets te zeggen, hij geeft me zomaar het gevoel dat ik er weer ben. Ze kijkt naar hem van opzij. Demba kijkt terug, glinsterende diepdonkere ogen. Hij steekt geen hand uit, Munengo zit vlak in de buurt. Maar, denkt Demba, dat komt later wel.

En Evelien denkt: ik ben verliefd. Nu alweer.

Rozemarie mag dan niet met haar aandacht bij haar zusje zijn, ze heeft meteen door wat er aan de hand is.

'Je gaat toch niet aanpappen met zo'n wilde, alsjeblieft.'

Evelien haalt gelaten haar schouders op. 'Het zal wel weer verkeerd aflopen, maar ik kan er niets aan doen.'

'Je bent niet goed snik, jij.'

'Weet ik.'

Evelien is niet de enige. Lydia en Ntho hebben elkaar ontdekt. Ze gaan na thuiskomst nog wandelen op het paadje naar boven. En zelfs Lies Liefferink blijft in moeizaam Frans een kwartiertje praten met Assoua en Laièn.

4

De volgende dag begint vol zonneschijn. De deuren naar het terras gaan wijd open. De zwarte jongens hebben niets in de bus gelaten en beginnen al vroeg met hun attributen te slepen. Johannes werpt zich bijna op de trommels en Rozemarie wil de maskers bekijken. Frits heeft uitgevonden dat hij over sociale en medische toestanden in Afrika het beste met Munengo kan praten. Hij veegt het vocht van de tuinstoelen en gaat zich met hem verdiepen in internationale problemen. Engelbert komt er ook bij. Demba maakt van de gelegenheid gebruik. Hij heeft al uitgevonden waar de kamer is van Evelien en hij staat te wachten tot ze er uit komt, warm en rozig van de douche. Twee minuten voordat de bus vertrekt komen ze pas te voorschijn.

De jongens van Munengo moeten optreden. Ze zijn nog druk bezig elkaars lichamen te beschilderen als meneer Fünkelstab hun kleedkamer binnenstormt. Hij is veel jachtiger dan zijn lijzige paardegezicht doet vermoeden.

'Het is tijd. Het is tijd.'

Munengo denkt: daar heb je het weer. Waarom doen die mensen toch altijd zo moeilijk over tijd? Moeten we mooi zijn of niet?

'Een kwartier krijgen jullie nog. Ik zal een andere groep voor laten gaan. Vijftien minuten, meer niet.'

En Fünkelstab draaft weer weg.

Weet hij nu nog niet dat het geen zin heeft de jongens op te jagen. Ze hebben allemaal horloges en ze kunnen zien hoe laat het is, maar ze zijn er niet zo mee vertrouwd dat ze een werk in een bepaalde tijd kunnen uitvoeren, zeker niet zoiets belangrijks als dit. De lijnen moeten op precies gelijke afstand van elkaar de oppervlakten van het lichaam volgen en op de juiste plaats uitkomen.

Het programma wordt opnieuw aangepast en dan duurt het nog eens tien minuten tot Womg'bumi het plein opdraaft, niet twee aan twee in de rij, zoals de meesten, maar trappelend als voetballers. Hier is Afrika. Ze krijgen een geweldig applaus.

Van al de tientallen volksdansgroepen is er geen een die zoveel emotie weet op te roepen, als deze krachtige zwarte mannen met hun wuivende pluimen, hun blinkende speren en hun snelle ritmiek, steeds wisselend en toch foutloos aan elkaar aangepast. Nog voordat de donkere stemmen van de trommels beginnen te spreken wordt het publiek meegesleept door hun vrolijke uitbundigheid.

Ze dansen met hun blote ziel. Thuis in Womg'bumi hebben ze maskers gesneden uit boomschors en gekleurd met kalk en bessensap. Onschuldige maskers waarin bij voorbeeld de honingvogel woont, die aan mensen de weg naar bijennesten wijst en het vriendelijke bladvisje dat altijd samen met zijn jongen over de stenen in de beek springt.

Natuurlijk dansen ze veel te lang en ze worden ook nog teruggeroepen. Maar zelfs meneer Fünkelstab ergert zich deze keer niet Fünkelstab is bezeten van dans en hij wilde in dit festival zo veel mogelijk facetten tot uitdrukking brengen: georganiseerde feestelijkheid in de quadrilles en menuetten van de Europeanen, eeuwenoude mythen tot in de kleinste bewegingen uitgebeeld met de verfijnde beschaving van de hindoe's, de wonderlijke vermenging van zorgeloze vrolijkheid en melancholie bij de Zuid-Amerikanen en nu de directe lichaamstaal van de meest primitieve mensen die hij heeft kunnen krijgen. Dit optreden is al zijn zorg over het ongeregelde gezelschap waard geweest.

Het festival duurt vier dagen. Behalve de dansvoorstellingen staat er een bezoek aan een bierbrouwerij op het programma en aan een klooster waar de bibliotheek bezichtigd kan worden. Evelien wil niet mee.

'Het gebouw is heel indrukwekkend,' zegt Rozemarie en er zijn zeldzame boeken uit de middeleeuwen.'

'Ja jammer, maar nou ben ik verliefd.'

'O Evelien. Wees nou niet zo stom. Die jongen komt uit een andere cultuur. Kijk nou eens iets verder dan zijn zwarte sex-appeal.'

'De helft van de tijd was ik dood, weet je dat? Ik word er weer gezond van en gewoon, mezelf. Wat maakt die cultuur nou uit?'

Ze wil niet luisteren naar Rozemarie en loopt weg.

Frits zegt: 'Wat kan het je eigenlijk schelen? Over een paar dagen gaan we weer naar huis en dan ziet ze die jongen nooit weer.'

'Pappie en mammie hebben haar aan ons toevertrouwd.'

'Doe niet zo conservatief, Rozemarie. Ze hebben haar toch ook alleen naar Grenoble laten gaan. De tijd is voorbij dat dochters gechaperonneerd werden. Kijk naar Lydia.'

'Lydia maakt plezier, ze is niet verliefd. En met Evelien liep het ook al fout in Grenoble.'

'Goed, probeer haar dan maar van die man af te houden, als je dat echt zo nodig vindt.'

Evelien had het liefst met Demba naar buiten willen gaan, de bergen in, om op een beschut mossig plekje met hem alleen te zijn. Maar Womg'bumi moet nog eens optreden.

'Laat ze gaan,' zegt Evelien. 'Ze kunnen best zonder jou.'

Demba lacht erom. Zoiets is uitgesloten.

'Goed, dan ga ik ook.'

Rieks brengt de zwarte jongens naar Körnerstachelturm, Evelien en Lydia rijden mee. Dan gaat de bus weer terug met de mensen uit de Rode Os naar het hotel in de bergen om de rest van het gezelschap te halen voor hun bezoek aan het klooster.

Lydia Vedders kent geen Frans. Ze heeft er geen enkele moeite mee, evenmin met de ontoegankelijkheid van Evelien. Ze is de oudste dochter uit het grote gezin van bakker Vedders. Het grootste deel van haar jeugd heeft ze doorgebracht in een donkere kamer tussen de winkel en de bakkerij. Daar zaten de jongens te knutselen, terwijl de kleintjes speelden onder de tafel, waarop zijzelf haar huiswerk zat te maken. Hun moeder draafde heen en weer tussen de winkel en het stomende keukentje achter en 's avonds viel haar vader te midden van het lawaaierige gezinsleven in slaap.

Soms barstte de spanning. Verwensingen knetterden als de bliksem over en weer. De kleinere Veddersjes kropen angstig in een hoekje, totdat ze groot genoeg waren om te beseffen dat iedereen ervan genoot. Elk meningsverschil ging geleidelijk over in een wedstrijd van orginele beledigingen. Als de inventiviteit uitgeput raakte, leefden ze vrolijk samen verder.

Lydia heeft er een onverwoestbaar humeur van overgehouden.

In de bus loopt ze in het gangpad heen en weer om de namen te repeteren.

'Michel Dao of Michel Munengo, hoe is het nu eigenlijk?'

'Michel Dao of Munengo Dao, wat je wilt. Dao is de achternaam.'

'Ntho, Nn-t-hhôh. Maar als je Nnt-hôh heet, waarom heet je dan Maurice?'

'Maurice is Frans, ja. Frans is een echte taal. Zoals wij spreken dat zijn geluiden. Dat zeiden de nonnen op school en toen kregen we een echte naam.' Ntoh lacht er hartelijk om.

Lydia en Evelien besluiten alleen nog de Afrikaanse namen te gebruiken, ook al zijn ze moeilijk, want zij vinden de Franse niet echt.

Ze gaan mee naar een soort verenigingsgebouw op het marktplein en ook naar de kleedkamers. In een ogenblik liggen de rode en gele jasjes, broeken enzovoort op een hoop. De jongens houden helemaal niets aan. Alleen de gris-gris blijven om hun nek en armen hangen, het zijn dichtgenaaide leren zakjes met iets geheimzinnigs erin dat hen beschermt tegen ziekte en kwaad.

De blote zwarte lichamen wriemelen door elkaar, want er zijn maar twee potten verf, waar ze om de beurt hun vingers insteken om elkaar mooi te maken. Ze praten voortdurend in hun eigen taal.

'Laten we naar buiten gaan,' zegt Evelien, 'We zitten in de weg.'

'Nee, we blijven. Veel te leuk. Moet je kijken, wat een litteken. Laièn, wat is er gebeurd met jou?'

'Een aap,' zegt Laièn onverschillig. Evelien moet het vertalen. Hij is alleen maar door een grote aap gebeten, toen hij nog een klein jongetje was. Laièn hoopt altijd nog eens een meer eervolle verwonding op te lopen in een gevecht. Net zoals Babukar. 'Zie je wel, dat is mooi.'

Babukar heeft een brede snee dwars over zijn borst.

Deze keer zijn ze ruim op tijd klaar en ze gaan vast naar buiten. De zon is nog niet achter de berg verdwenen. Het licht weerkaatst tegen donkerglanzende lijven, in armbanden van koper en witgeschuurd metaal, halskettingen vol glimmende roofdiertanden en glazen kraaltjes. De mysterieuze kleuren van hun beschildering en versiersels verdiepen: bloedrood en oker, goudgeel en zilverblauw, gevlochten grassen en doorschijnende veren in dofkroes haar.

'Weet je wat ik wil?' zegt Lydia tegen Evelien. 'Ik wil naar Afrika. Ik ga ze opzoeken in hun land. In Womg'bumi. Hoe duur is zo'n reis, weet jij dat?'

'Ik weet niet eens waar het ligt.'

'We zullen het vragen.'

Er is nog meer publiek dan de vorige dag. De voorstelling is beter en ze krijgen een geweldige ovatie. Er worden blocmen aangeboden, waar ze niet goed raad mee weten. En dan komen de meisjes. Het zijn niet meer alleen Evelien en Lydia. Van alle kanten komen ze opzetten, Zweedse, Engelse, Hongaarse en niet te vergeten de dirndls. Ze dringen om de mannen heen, ze hangen aan hun armen en ze zoenen de verf van hun gezicht. Demba heeft er drie tegelijk en hij vindt het prachtig.

Lydia geeft Evelien een hand en trekt haar mee in het gedrang. 'Kom op. Laat je niet opzij duwen.'

'Nee nee, ik wil dat niet.'

'O.' Lydia ziet het verschrikte gezicht van Evelien en meteen keert ze om.

'Laat die meiden maar. Wij zien ze later wel.'

Ze geeft Evelien een arm en neemt haar mee het winkelstraatje in naar een klein cafeetje.

'Zal ik bestellen? Wat neem jij?'

Evelien staat op het punt om te zeggen: 'Niets.' Ze wil weer in zichzelf wegkruipen, maar Lydia kijkt haar indringend aan. Evelien vond haar luidruchtig en uitdagend en verder keek ze niet. Nu ziet ze voor het eerst haar verstandige ogen met de typische blauwgroene kleur en ze realiseert zich dat Lydia heeft afgezien van de pret met de zwarte jongens alleen voor haar.

'Bedankt,' zegt Evelien, 'Lief, dat je bent meegegaan.'

Na een aarzelend begin ontstaat een vertrouwelijk gesprek. Twee uur later zitten ze nog in het cafeetje en ze ontdekken met schrik dat Rieks met de bus misschien al staat te wachten.

Lydia betaalt haastig en ze hollen naar het plein. Daar staat inderdaad de bus, leeg. In de kleedkamer vinden ze tenslotte Munengo, Laièn en Rieks.

'Ze zijn de hort op,' zegt Rieks. 'We kunnen wel wachten tot morgenochtend, maar dat doen we niet.'

'Ze moeten maar lopen,' zegt Munengo, 'het is niet ver.'

'Niet ver?' zegt Evelien ontzet. 'Het is wel ver. Uren, als je moet lopen.'

Munengo en Laièn vinden uren lopen heel gewoon. Ze dragen samen de trommels, maskers, speren enzovoort naar de bus en stappen in. Als ze rammelen over de keien, ziet Lydia nog net iemand aankomen. Met zwaaiende armen draaft Siofok achter de bus aan. Hij kan nog mee, de rest blijft achter.

Feest. Het is de laatste avond. Een carnavalachtige bijeenkomst in de zalen van het verenigingsgebouw en het hotel Zum Roten Ochsen moet het festival afsluitcn. De boerendansers uit Echel, hebben geen maskaradepakken, zoals de inwoners van Körnerstachelturm en de groep uit Womg'bumi ook niet. Meneer Fünkelstab heeft puntmutsen uitgedeeld en sommigen hebben in de stad iets gekocht. Lydia is bij Munengo gaan bedelen om de verfpotten. Tot hilariteit van de jongens heeft ze haar gezicht half zwart, half rood gemaakt. Ze heeft een zwarte maillot en een wijd rood hemd aan en ze is de enige die er echt verkleed uitziet.

Evelien is de enige die er niets aan heeft gedaan.

'Ik wil je wel helpen,' zei Lydia.

Rozemarie, behangen met bierviltjes, zei: 'Je kunt toch wel wat verzinnen, Evelien. Zet dan tenminste iets op je hoofd.'

'Nee, mallotig doen vind ik vreselijk. Het is al mooi genoeg dat ik erheen ga.'

Rozemarie zou willen zeggen: 'Als er een mallotig doet, met die zwarten...' maar ze slikt het in. Het ís mooi dat ze meegaat. Evelien is veel beter. Ze heeft behoefte aan sex, dat is duidelijk en die mannen, jongens, hoe oud zijn ze eigenlijk? zijn op hun manier heel aantrekkelijk. Rozemarie is er zelf niet gevoelig voor. Ze hebben een natuurlijke vrijmoedigheid in hun optreden die zij als ongegeneerd vrijpostig ervaart en ze is veel te kritisch om zich te laten beïnvloeden door hun aanstekelijke vrolijkheid. Maar zij is negenentwintig jaar en ze heeft een man. Evelien is negentien. Deze dagen hebben haar goedgedaan en gelukkig is het morgen afgelopen.

Evelien is nogal tevreden over zichzelf.

Na zijn uitspatting is Demba weer naar haar toe gekomen. Ze heeft net kunnen doen, alsof ze zijn gedrag heel gewoon vond. Haar verliefdheid was dan ook nog maar een dag oud. Bovendien heeft ze zich met Munengo getroost. Munengo heeft niet zoals Demba, van die ogen waardoor iets in je buik zich omdraait, maar je kunt beter met hem praten en hij is even sterk en warm.

En, heeft ze samen met Lydia uitgemaakt, wat ze voor Demba voelt is biologische liefde. Zo begint bijna elke verliefdheid, zei Lydia, maar als het alleen biologisch is hoeft het niet lang te duren. Lydia heeft blijkbaar veel ervaring. Evelien heeft zich voorgenomen, goed op het onderscheid te letten. Als je iemand bewondert om zijn ogen, houding, manier van lopen, dan is het biologisch. Maar soms val je op een man met goede ideeën en dan kan hij scheel, scheef of een stotteraar zijn. In zo'n geval ben je er volgens Lydia ernstiger aan toe.

Na hun lange gesprek heeft ze de halve nacht wakker gelegen en nagedacht over het avontuur in Grenoble. Voor het eerst wat analytischer. Waarom duurde die eenzijdige verliefdheid wel lang, waarom kost het zoveel moeite eroverheen te komen?

Ze heeft een theorie opgebouwd. Biologisch had ik een man nodig en psychologisch heb ik gehunkerd naar iemand die naar me luisterde en die me mooi of lief of, wat dan ook, waardevol vond. Zo was het. En daarom was ik niemand meer, toen ik hem kwijt was. En nu heb ik al die dingen nog net zo hard nodig als toen. Ben ik nog altijd niemand? Is er wat aan te doen? Nou ja, ik begrijp er tenminste iets van, dat helpt.

Manmoedig stapt ze de feestzaal in, vastbesloten om het fijn te hebben.

Het getoeter en geweld van de muziek maakt het niet gemakkelijk. Voordat ze de kans heeft toch maar weg te glippen, wil Frits met haar dansen. Goeie Frits. Ze was bijna vergeten dat dansen prettig is, als je het zelf doet, zelfs hier. Daar gaat Rozemarie met Engelbert. En Jootje! Johannes Roeterdink wentelt een klein compact Körnerstachelturmerinnetje in het rond. Maar waar is Demba? Mooie springerige Demba?

Ze staan in een groepje bij elkaar, zeker tien van de veertien Afrikanen en ze kijken ongelovig lachend naar de hopsende Tirolers en hun gasten.

'Dankjewel Frits,' zegt Evelien, als de dans is afgelopen, 'ik ben er doorheen.'

Ze is net op tijd. Begerige vriendinnen klitten rondom de zwarte jongens. Evelien ziet kans Demba mee te nemen en ze denkt: zo, nu ik dit heb gedaan, ben ik niet meer geschift. En ik wil hem de hele avond houden.

Ze blijven niet lang op de dansvloer. Evelien wil weg uit de buurt van Rozemarie. Ze zoeken een zaal in het andere gebouw, andere muziek, even hard. Demba kan op alle manieren dansen en hij wil alles zien, alles beleven. Hij kan niet erg goed tegen bier.

'Kun je brieven schrijven, Demba?' vraagt Evelien, 'morgen is het afgelopen. Ik wil je weerzien. Ik zal naar Womg'bumi gaan, zo gauw ik de kans heb, maar intussen kunnen we schrijven.'

'Wil je echt naar Womg'bumi komen? Doe dat, ja kom gauw. Schrijven? Natuurlijk kan ik schrijven.'

Hij denkt er diep over na. Waar is het goed voor? Wat zou je ooit moeten opschrijven in een brief?

Het feest duurt maar door. Om vier uur in de nacht slaagt Rieks erin zijn passagiers bij elkaar te krijgen. Evelien sleept Demba mee naar haar kamer en hij blijft daar tot ze om zeven uur moet opstaan voor de thuisreis.

Veel te vroeg, iedereen is nog daas van de vorige dag.

Maar eerst het afscheid. Alle zwarte jongens worden gezoend. Ze krijgen adressen en ze geven cadeaus.

Rozemarie mag een van de maskers houden. Johannes krijgt twee trommels. Ze geven halskettingen en armbanden weg tot grote verlegenheid van de Hollanders. Want wat moeten zij geven? Ze weten het niet, ze zijn te rijk.

De harmonica van Jootje is niet van hemzelf. Het horloge van Engelbert is een aandenken, de ring van Lies Liefferink een erfstuk. Alleen Lydia deelt een paar sierraden uit: 'Voor jullie vriendinnen thuis. Maar reken erop. Ik kom naar Afrika. Je hebt me uitgenodigd, Ntho.'

'Ik kom ook,' zegt Johannes, 'want ik wil goed leren drummen. En dan neem ik een instrument voor je mee. Zeg maar wat het moet zijn.'

'Willen jullie naar Womg'bumi komen?' vraagt Munengo. 'Heel goed, we zullen je graag ontvangen, maar kom niet met volle maan.'

De bagage staat klaar in de hal. Adressen worden haastig in agenda's geschreven. Tot ziens, tot ziens, tot ziens.

Vermoeide gezichten, stommelende voeten op de vloer van de bus en dan begint de lange reis naar huis.

Pas na de koffie tijdens de eerste stop wordt er hier en daar wat nagepraat. Zelfs de muziek staat af, zolang er nog dommelende hoofden tegen de stijve kussentjes heen en weer rollen.

5

Thuis vat Evelien onmiddellijk haar oude gewoonten weer op van voor de reis naar Tirol: laat opstaan, eindeloos muziek draaien, nu uitsluitend Afrikaans, en zo veel mogelijk de zorgen en adviezen van mammie ontlopen. Ze weet een ding zeker: ze wil, hoe dan ook, naar Afrika, maar verder dan vage ideeën: ontwikkelingswerk, Afrikaans studeren, reisleidster worden, komt ze niet. Ze weet best dat de apathie terugkomt als ze niets onderneemt, maar het is makkelijker lui in bed over Demba te dromen dan een duidelijk plan te maken en ze durft de confrontatie met haar ouders nog niet aan. Plotseling komt het er toch van.

'Je moet eens wat meer regelmaat in je leven zien te brengen,' heeft mammie gezegd. En pappie informeert voorzichtig:

'Heb je eigenlijk al eens over je toekomst gedacht, Evelien?'

Evelien haalt diep adem.

'Als jullie het goed vinden, wil ik een andere studie gaan doen.'

'Ja?'

'Afrikaanse talen.'

'A...? Maar kind, dat is natuurlijk een bevlieging. Je moet er eerst nog maar eens heel goed over nadenken. Wat denk je ermee te bereiken? Ik bedoel: doe je het alleen voor de aardigheid of heb je ook nog kans op een baan.'

'Meer dan met Frans, mam.'

'Hm, net iets voor jou. De ene mislukking is nog niet achter de rug, of je stort je halsoverkop in de volgende. Ik heb het al gezegd, maar ik herhaal het: Je moet er eerst nog maar eens over nadenken.'

'Je moet zelf beter nadenken, voordat je nare dingen tegen me zegt.'

Evelien draaft de trap op. Het is gemeen, gemeen, gemeen. Ze doen net alsof ze het gisteren bedacht heeft, of ze twee jaar is en de maan wil hebben. En dan begint ze toch te huilen, want het is weer helemaal fout gegaan. Ze had haar ouders willen overtuigen, hoe belangrijk het zou zijn, als ze er eerst eens ging kijken, voordat ze aan de studie begon. Maar nee, ze is nog niet uitgepraat of haar plan, nee, haar ideaal, haar hele toekomst, wordt van de tafel geveegd. Waarom, waarom moet mammie haar altijd zo afkatten. Het zou best eens kunnen dat ze er uiteindelijk toch mee accoord gaat. Zo ging het ook toen ze aan haar Franse studie begon.

'Ik vind het een dwaas idee,' heeft ze gezegd, 'je begint maar hier in Nederland. Als je wat ouder bent, zullen we wel eens over Frankrijk praten.'

Natuurlijk ben ik daarom helemaal naar Grenoble gegaan, bedenkt ze, om van mammie af te zijn. Zo ver mogelijk weg, Parijs had ook gekund. Wacht maar, ik ga toch naar Afrika.   En dan neemt Evelien een dapper besluit. Pappie heeft haar wat geld gegeven toen ze meeging naar Oostenrijk, maar ze hoeft er niet op te rekenen dat hij een reis naar Afrika voor haar zal betalen. Ze zal het zelf moeten oplossen: werk zoeken. 's Zomers hebben ze in de restaurants aan de kust altijd extra bediening nodig. In de schoolvacanties heeft ze dat ook wel eens gedaan en dat verdiende best goed.

Het lukt haar een baantje te vinden bij hotel restaurant Zonneduin en ze begint meteen. Elke dag fietst ze heen en weer en meestal komt ze pas midden in de nacht weer thuis. Zelfs op mammies verjaardag als de familie Brunel uit Echel komt, is ze bijna de hele dag afwezig.

'Ze is wel veranderd,' zegt mammie tegen Rozemarie, 'Ik ben blij dat ze nu tenminste bezig is, maar ze zal toch echt eens aan haar toekomst moeten gaan denken. Dit moet niet te lang duren.'

Rozemarie trekt haar conclusies. Evelien, werken en geld verdienen? Ze wil natuurlijk achter die zwarte vriend aan. Het is de vraag of het haar lukt, want mammie laat haar vast niet gaan. Gelijk heeft ze, maar aan de andere kant... Het zou eigenlijk helemaal niet zo gek zijn. Laat ze maar eens zien, hoe die mensen met hun vrouwen omgaan. Geen betere methode om haar te genezen. En ze hoeft niet alleen, want Rozemarie wil ook wel. Kan ze mooi een oogje in het zeil houden. Thuis begint ze erover:

'Wat denk jij, Frits,' vraagt ze 'Zou die reis nog doorgaan?'

'Welke reis moet er doorgaan?'

'De reis naar Afrika. Onderweg uit Tirol naar huis hebben we het min of meer afgesproken, weet je wel? Lydia zou meegaan en Engelbert ook.'

'O dat? Nee, natuurlijk niet. Altijd als je kennissen krijgt op reis, volgen er afspraken, maar ik heb nog nooit meegemaakt dat er iets van die contacten terechtkwam.'

'Ik kreeg de indruk dat zelfs Lies er wel zin in had.'

'Ha, en jij zeker ook?'

'Nou... Ja.'

'Later Roos, als onze kinderen groot zijn.'

Rozemarie is veel alleen, want Frits heeft een drukke praktijk. Maar ze heeft gelukkig haar eigen telefoon. Lies was van plan naar Womg'bumi te gaan. Ze zal eens een praatje met haar maken. Lies Liefferink zit op een rechte stoel aan tafel met een stapel schriften. Zachtjes speelt de radio. Telefoon. Ze schuift de schriften recht als blokken en legt haar rode balpen ernaast.

'Met juffrouw Liefferink.'

'Met Rozemarie. Lies, heb je het druk? Ik heb een vraag.'

'Het gaat wel. Zeg het maar.'

'Ben jij nog steeds van plan naar Afrika te gaan?'

'Ik weet het niet. Jij? Ik dacht dat je er niets voor voelde.'

'Eerst niet, maar ik heb het idee dat Evelien wil gaan en dan lijkt het me nuttig als wij erbij zijn.'

'O ja, dat zal vast nuttig zijn.' Leuk voor Evelien, denkt Lies.

'Heb je het er nog wel eens over gehad met de anderen? Weet je, ik krijg er steeds meer zin in. We zijn nog nooit in een tropisch land geweest en dit is een unieke kans om het primitieve leven daar van dichtbij mee te maken. Maar Frits ging er niet zo enthousiast op in. Daarom probeer ik nu of het ook van een andere kant kan komen, snap je?'

'Ja, ik snap het.'

Rozemarie is even stil. Het gesprek loopt niet zo vlot als ze gehoopt had.

'Hannejetje had zes fouten,' zegt Lies.

'Begrijpt ze het niet?'

'Ze begrijpt het uitstekend, maar ze is te gauw afgeleid. Je moet het haar maar eens zeggen. Ze vat het te gemakkelijk op.'

'Goed, ik zal het doen. Dag.'

Lies gaat terug naar de tafel. Laat Rozemarie haar eigen zaakjes opknappen, verwend mens. Ze pakt de rode balpen weer op.

Rozemarie loopt rond op een schoen. Waar is de andere? Onder een kussen, ze zat erop. Hannejetje had zes fouten. Ze vat het te gemakkelijk op. Wat is het nog maar kort geleden dat ze met volle overgave zesjes zat te tekenen. En nog moeilijker, tweetjes. 'Kijk eens, mamma, wat een mooie twee.' En ze was zo gelukkig toen ze jaap kon schrijven: aap jaap. De ontdekking dat jaap Jaap was. Heeft ze er nu al geen plezier meer in? En ligt dat aan haar of heeft Lies aan teveel kindertjes aap, jaap en tweetjes geleerd om er nog enige geestdrift aan mee te geven? Lief klein Hannejetje, zes fouten. Hoeveel had ze dan eigenlijk goed? Afrika slipt weg uit Rozemaries gedachten.

Lydia Vedders weegt koekjes af. Ook al heeft ze een goedbetaalde baan bij een bouwbedrijf, zaterdags moet ze helpen in de winkel.

'Wie is er aan de beurt?'

Een magere jongen met een blond geplakt kuifje.

'Ha Jootj... Johannes. Hoe is het met jou? Wat mag het zijn?'

'Eh, Lydia. Geef maar zo'n koek. Ik wou weten, of je thuis was.'

'Ik ben thuis, zoals je ziet. Dat is eenvijfenzeventig.'

Johannes grabbelt in een portemonnaie. 'Je hebt het zeker druk.'

'Nogal ja. Heb je iets bijzonders te vertellen. Zal ik je opbellen, als ik klaar ben?'

'Ik kom liever terug. Hoe laat?'

Vooruit dan maar, denkt Lydia, daar gaat mijn zaterdagavond. Opruimen, winkel boenen, afwassen en op de koop toe: Jootje. 'Om half acht ben ik klaar.'

Klokslag half acht staat hij voor de deur.

'Het gaat over die reis naar Afrika. Womg'bumi, weet je wel? Ik heb het allemaal uitgezocht. En omdat jij er ook heen wou gaan, dacht ik, misschien, als jij het niet gek vindt, of misschien vind je het vervelend, dan moet je het maar zeggen. Nou ja, ik dacht, we kunnen net zo goed samen gaan, want ik heb nog nooit gevlogen en ik ken geen Frans en zo.'

'O, ik heb er eigenlijk niet meer aan gedacht.'

'Ik wel, ik heb ervoor gespaard. Soms speel ik op bruiloften en zo. Ik doe het vast en zeker. Juffrouw Liefferink is ook uitgenodigd, dat weet ik en Evelien was van plan die Félipe op te zoeken, maar waar zij woont, weet ik niet en ik dacht: ik begin maar bij jou. Horen of je het misschien niet vervelend vindt of zo.'

'Ik vind het een prima idee, Johannes en ik heb best zin om mee te gaan. Aangenomen dat ik het betalen kan.'

'Het is een eind weg, natuurlijk, maar ze zeggen dat daar alles nogal goedkoop is.'

Johannes heeft zich goed voorbereid. Lydia bladert in folders en reisgidsen. Ze ziet groene wouden en blauwe meren, panters, palmen, papagaaien. Jonge vrouwen met blote borsten dragen een schaal met vissen op hun hoofd.

'Zou het er echt zo uitzien?'

'Nee. Dit zijn dure safarireizen. Wij gaan de rimboe in. Dat is nog veel mooier. Maar ze hebben er geen plaatjes van.'

'Ben je al bij Lies geweest en bij Engelbert?'

'Dat durf ik niet zo goed.'

'Haha, echt Jootje hoor. En je durft wel alleen naar Afrika te gaan als je niemand mee krijgt?'

'Dat is heel wat anders.'

'Zeker weten,' zegt Lydia.

Jootje pakt zijn spullen bij elkaar, maar dan zegt Lydia toch:.

'Loop het rijtje maar af, Johannes. Mij heb je.'

Johannes Roeterdink heeft het gevoel dat hij een kous op zijn kop heeft. Al zijn moed had hij nodig om met zijn voorstel naar Lydia te gaan en nu moet hij het rijtje aflopen, makkelijk praten. In gedachten gaat hij het rijtje na. De dokter, daar durft hij alvast nooit naar toe. Hij is in staat er met een doos pillen vandaan te gaan zonder een woord over Afrika te hebben gezegd. De schooljuffrouw geeft hem het gevoel dat hij zijn vinger op moet steken, als hij haar iets wil vragen. Dan is er die meneer Winsloo die zo donker uit zijn ogen kijkt. En hij woont in zo'n deftig huis dat hij er nauwelijks durft aan te bellen. Engelbert lijkt hem tenslotte het minst afschrikwekkend. Jootje zet zijn scootertje onder een grote bruine beuk en trekt aan de klingelbel van het deftige huis in de schaduw daarachter. Engelbert doet zelf open. Hij strijkt met een lange hand over zijn dunne haar.

'Ah, hallo.'

Met veel misschienen en enzo's komt de jongen met zijn voorstel. De reis!

'Ach ja,' zegt Engelbert, 'dat is waar ook. Het was me een beetje ontschoten. Kom er in.'

En weer gaat het precies zoals bij Lydia. Als er meer liefhebbers zijn wil meneer Winsloo ook wel mee. 'Ik hoor het dan wel van je, eh... hè?'

'Johannes', zegt hij hardop, als de zware voordeur is dichtgevallen. 'Je moest niet Jootje zeggen maar Johannes.'

De juiste naam was hem even ontschoten, niet de reis. Engelbert stapt naar het zijkamertje. Daar staat zijn bureau, een angstaanjagend meubel met honderd laden. Hij haalt een dikke envelop met papieren te voorschijn, ongeveer dezelfde folders die Jootje heeft verzameld. Ze liggen al een paar weken min of meer verstopt tussen een rommelige stapel tijdschriften. Zo nu en dan haalt hij ze eruit. Sinds Körnerstachelturm wil Engelbert niets liever dan Afrika zien, maar het initiatief ervoor moet van iemand anders komen, al is het maar van zo'n onwaarschijnlijk iemand als Jootje. Gelukkig ontmoet hij dan, heel toevallig, Rozemarie. En zij begint er zelf over.

'We moeten gauw een afspraak maken, Engelbert. Als we te lang wachten, zijn die jongens daar ons vergeten.'

Johannes vat moed en gaat naar de schooljuffrouw. Zij is veel aardiger dan ze lijkt. Ze schenkt thee en ze bestudeert zorgvuldig zijn papieren, maar ze stelt wel erg veel vragen. Hij krijgt de opdracht een lijstje te maken van de prijzen.

'Een overzichtelijke lijst, waarin de verschillende mogelijkheden tegenover elkaar staan. Ik weet zeker dat je dat voor elkaar krijgt, Johannes. En dan moeten we dat maar eens aan de anderen voorleggen. Als het in de schoolvakantie kan plaatsvinden, doe ik in elk geval mee. Met een groepsreis wel te verstaan.'

'Dag juffrouw, bedankt voor de thee.' Hij denkt: een groepsreis, hoe grote groep zou ze bedoelen? Het komt niet bij hem op, dat juffrouw Liefferink zich alleen wil toevertrouwen aan een ervaren gids, die al vijftig keer eerder in dat griezelige land is geweest en die alle mogelijke en onmogelijke gevaren kan voorzien.

Johannes bewaart de dokter met zijn mooie mevrouw voor een volgende keer. Maar voordat hij opnieuw de tocht naar Echel onderneemt vanuit Loorde waar hij woont, krijgt hij een telefoontje van Lydia:

'Het was een geweldig idee van je, Jo. Ik sprak toevallig Rozemarie. Zij voelt ook veel voor een reis naar Afrika en ze denkt dat ze Frits en Evelien wel meekrijgt. We gaan woensdagavond praten bij Engelbert thuis. Kom je met je spullen?'

Nu wordt het hoog tijd. Rozemarie moet haar Frits zover zien te krijgen.

'Denk nou even na, Frits. Het is juist nu een gunstige tijd, niet als de kinderen groot zijn, want dan willen ze mee en het kost ons drie keer zoveel geld. En die jongens uit Wong'bumi hebben gezegd dat we welkom zijn. Zo'n kans krijg je nooit weer. Iedereen maakt een wild-safari, maar dit wordt een bezoek aan echte mensen.'

'Niet iedereen maakt een wild-safari.'

'Je weet wel wat ik bedoel. Zo'n foto-expeditie kan altijd nog, maar het volgend jaar zijn die mensen uit Wong'bumi ons vergeten.'

'Je weet niet wat voor land dat is, Rozemarie. Er is van alles aan de hand in Afrika. Voor je het weet, zit je in een revolutie.'

'Daar niet. Gondom is een rustig klein staatje. Engelbert heeft dat uitgezocht.'

'Je hebt het er al met hem over gehad?'

'Ja, en met Lydia. Zij gaat ook mee en Jootje. Wij moeten dus eigenlijk wel.'

Frits begint te lachen. 'Ik begrijp het. We moeten. Goed, laat Engelbert het dan verder maar uitzoeken, maar bedenk wel, Roos: ik zeg niet bij voorbaat: ja. Het moet echt veilig zijn en niet waanzinnig duur.'

Rozemarie belt meteen naar Smokkelersgat: 'Evelien, zie je kans aanstaande woensdag naar ons toe te komen? De mensen van onze dansgroep die in het hotel in de bergen hebben gelogeerd denken erover de zwarte jongens te gaan bezoeken. Woensdagavond praten we daarover bij Engelbert.'

Ja hoor, Evelien ziet wel kans.

Engelbert ontvangt zijn gasten in de salon. Hij heeft de haard aangemaakt, want het is er altijd kil. Een enorme glazen serre die tegen de Zuidkant is aangebouwd ligt volledig in de schaduw van hoge bomen. Alleen in gloeiend hete zomers is het er aangenaam en in de winter is de hoge tochtige ruimte helemaal een verschrikking met de brede erker op het Westen. Elke windvlaag laat de ruiten rammelen. Ze gebruiken de salon dan ook uitsluitend bij speciale gelegenheden. Frits die toch nogal eens bij Engelbert aankomt, kijkt met verbazing om zich heen. In deze kamer is hij nooit geweest. De beige gordijnen hangen tot op de grond. Er zijn kilometers van. Een Chinees kleed bedekt haast de hele vloer. Het is prachtig van kleur, blauw en ivoor. De stoelen zijn nog lichter dan de gordijnen, gebouwd voor tweehonderdponders. Een antieke schrijftafel, een heel bijzondere kast, twee schilderijen van een statig echtpaar. Hij vond het altijd nogal sjofel bij de Winsloos. Wie van de twee zou dat allemaal hebben meegebracht? Door, de vrouw van Engelbert, ziet er deze keer ook heel behoorlijk uit. Hij ziet haar eigenlijk altijd in een oude broek in de tuin. En hij kent haar al zes jaar. Of nee, blijkbaar kent hij haar helemaal niet.

Door is niet gewend de vergaderingen bij te wonen die Engelbert een enkele keer thuis belegt. Ze heeft haar eigen interesses, voornamelijk de tuin, en meestal haar eigen vakanties: in de verschillende jaargetijden een weekje naar Engeland. Deze keer heeft Engelbert haar gevraagd erbij te zijn.

'Een bijeenkomst met de boerendansers? Dat is toch niets voor mij?'

'Het gaat nu niet over dansen. Het gaat over een reis naar Afrika. Dat lijkt me wel iets voor jou.'

Ze zegt niets meer. Ook niet tijdens de vergadering. Ze loopt heen en weer met koffie en ze luistert naar het gekrakeel. Van tevoren was er al in zoverre overeenstemming, dat niemand niet mee wilde, maar iedereen had iets anders in zijn hoofd, voordat duidelijk was, of en hoe het zou kunnen.

'Hoe denk je erover, Door?' vraagt Engelbert achteraf.

'Jullie hebben niets besloten.'

'Zo gaat het meestal. Ik maak nu een plan en dat keuren ze goed.'

'Jij maakt een plan.'

'Doe je mee?'

'Ik weet het niet. Het land wil ik dolgraag zien, maar een reis met dit gezelschap...'

'Ze zijn echt heel aardig. Ik zou het zo leuk vinden, als je eens meedeed.'

'Zou jij dat leuk vinden? Ik dacht dat je veel meer plezier had zonder mij.'

De Brunels brengen Lies Liefferink naar huis.

'Komen jullie nog even binnen?'

'Nee Lies. Het is te laat. Jammer.'

Maar thuis vindt Frits het niet te laat om nog een fles wijn open te maken. Lang en lui laat hij zich neer in de diepte van zijn stoel.

'Nou Evelien, ben je tevreden?'

Evelien heeft alles zwijgend aangehoord.

'Ik heb er niets van begrepen. Gaan we nou of gaan we niet?'

'We gaan wel. Laat dat maar aan Engelbert over.'

'Maar Lies wil een gids, Lydia wil de goedkope reis en jullie de dure. Van Jootje moeten we met elkaar een gitaar voor die jongens kopen en ik wil niet met volle maan, want dat hebben ze duidelijk gezegd. Dat moest niet.'

'Dat is toch hun bijgeloof, Evelien,' zegt Rozemarie. 'Wij hebben daar niets mee te maken.'

'Wel. Als je hun gast bent, houd je rekening met hun geloof.'

'Als dat moet, kunnen we wel thuisblijven. Hun geloof, wat weet je ervan?'

'Wat ze hebben gezegd: niet met volle maan.'

Rozemarie kiest een ander onderwerp.

'Het is al twaalf uur geweest. We hadden net zo goed nog even met Lies mee kunnen gaan.'

'Ik vind Lies niet zo leuk,' zegt Evelien.

'Dat is ze ook niet,' zegt Rozemarie. 'Ik moet altijd mijn best doen dat niet te laten merken. Daarom probeer ik juist aardig te zijn.'

Ze gaat brokken kaas snijden. Frits zakt nog dieper in zijn stoel. Lekkere stoel, lekkere wijn. Lekker luisteren naar het gekibbel van Rozemarietje en Evelien. Wat een geluk dat hij niet bij Lies op die vierkante bank zit met een wijn die net iets te zoet is, of te zuur en in elk geval te koud.

'Lekkere kaas Roos, niet te scherp, niet te zout.'

6

Munengo is met lichte tred en als gewoonlijk op zijn blote voeten onderweg naar Womg'bumi. Toch heeft hij lood in zijn schoenen. Er is met veel vertraging een brief uit Holland gekomen.

Lieve vrienden,
Wij willen graag gebruik maken van jullie uitnodiging. Voorlopig hebben we een vlucht naar Sougouni besproken op 21 december. Zonder tegenbericht zullen we dat over een maand bevestigen. Ons gezelschap bestaat uit acht personen. Laat vooral weten, waarmee we jullie plezier kunnen doen. We verheugen ons op het hernieuwde contact,
Met vele groeten,
Acht handtekeningen.

Munengo heeft geen tegenbericht durven sturen. De gastvrijheid is een wet bij zijn stam. Zelfs een ongenode gast wordt nooit weggestuurd. Zijn vrienden hebben gezegd dat ze welkom zijn. Ze zijn welkom. Maar Munengo moet het nu gaan vertellen: ze komen eraan. En hij weet nog niet wat zijn vader ervan zal zeggen.

Vroeger werd een bode met een slecht bericht onbarmhartig afgemaakt. Hoewel de zeden nu soepeler zijn, is Munengo de persoon die verantwoordelijk gesteld zal worden voor deze grote gebeurtenis, ook al zijn het de anderen die de mensen hebben uitgenodigd. Die idioten, ze hadden wel eens mogen bedenken welke voorzieningen er nodig zijn om witte mensen een enigszins acceptabel onderdak te verschaffen.

Ondanks zijn loden schoenen loopt Munengo nog vlugger door. Hij hoort gekwetter, vogels? Het zijn de schoolkinderen op weg naar huis.

'Ah Munengo, Munengo. Wat zit er in je tas?'

'Een brief.'

'Ha ha ha, een hele tas vol brief. Dan is de brief nog groter en dikker dan een boek. Wat staat er in?'

'Denk je dat ik dat aan jullie zal vertellen? Kleine kalfjes. Waar is Fodé?'

'Fodé is ziek.'

'Hij heeft iets aan zijn ogen. Fodé wordt misschien wel blind.'

'Nietwaar, Fodé wordt niet blind. Yahi maakt een ritueel voor hem. En dan gaat het over.'

'Zo zo, een ritueel voor kleine Fodé?'

'Zijn moeder heeft al drie kippen betaald en als Fodé beter is, kost het nog eens drie kippen.'

'Yahi doet het vandaag. Als je opschiet kun je erbij zijn.'

Het is al van verre te horen dat er iets aan het gebeuren is in het dorp. Een kring van vrouwen zit op de grond. Fodé met een angstig gezichtje in het midden. Yahi heeft een klein rokend vuurtje gestookt. Ze strooit er telkens kruiden in die zijn gemengd met het bloed van de drie kippen, waardoor het nog harder gaat roken. Ze zingt er spreuken bij.

De vrouwen wiegen heen en weer, een deunende toon komt uit hun kelen. Plotseling pakt Yahi Fodé op, zo sterk is nog dat bottige oude mensje. Ze houdt zijn hoofd boven het hete vuur in de rook. Fodé spartelt niet tegen. Hij is zo slap als een dode vis. Yahi prevelt wat en eindelijk legt ze hem weer neer in het midden van de kring.

'Het is over,' zegt Yahi. Ze laat het vuur zoals het is en verdwijnt in haar hut.

Fodé gaat verbijsterd overeind zitten.

'Je bent weer beter,' zegt zijn moeder. 'Fodé, mijn zoon, je wordt niet blind.'

Als ze later de drie beloofde kippen aan Yahi brengt krijgt ze een kloddertje donkerrood vet, verpakt in een boomblad om op zijn ogen te smeren.

Fodé's vriendjes willen alles van hem weten. Wat heb je gevoeld? Is je haar niet verbrand? Welke fetish had je betoverd? Fodé wil er niets van vertellen. Hij weet hoe het komt dat zijn ogen ziek werden. Hij is in het heilige bos geweest, maar dat gaat zijn vriendjes niet aan.

Munengo vertelt zijn nieuwtje. Er is geen mannenvergadering nodig. Komen er gasten? Ze zullen ontvangen worden. Zijn vader laat niet merken dat hij het eigenlijk geweldig vindt.

'Acht witte mensen? We zullen een aap voor hen roosteren. We zullen een woning voor hen bouwen.'

'Twee,' zegt Munengo, 'een voor de mannen en een voor de vrouwen.

'We zullen mooie gekleurde slaapmatten weven.'

Acht nieuwe slaapmatten, zelfs de kleinste meisjes worden aan het werk gezet. Munengo piekert. Witte mensen kunnen niet slapen op een mat. Samen met Demba verzint hij een constructie. Ze zullen de matten op een onderstel van bamboe spannen. De huisjes mogen vooral niet te laag zijn, maar ook niet te hoog, want je kunt moeilijk aan een vreemdeling een hogere verblijfplaats geven dan het stamhoofd heeft en aan hun vrouwen helemaal niet.

Engelbert schrikt wel even als er eindelijk antwoord van Munengo komt. Als ze geschenken willen meebrengen, heel graag. Het liefst radio's, wax hollandais (wat bedoelen ze daarmee?) en graag een motorfiets, want de weg naar Womg'bumi is te smal voor een auto. Hoe ze daar dan zullen moeten komen is dus niet helemaal duidelijk. Engelbert laat het op zijn beloop. Als je alles tot in de kleinste kleinigheden wilt organiseren, komt er nooit iets klaar. Munengo zal hen op het vliegveld ontvangen en een taxi bespreken waarmee ze verder zullen gaan. Munengo is een betrouwbare gids, dat heeft meneer Fünkelstab hem tijdens het festival verteld. Lies heeft nog even tegengesputterd.

'Ik bedoel een echte gids, iemand van hier.'

'Mijn lieve mens, je neemt toch ook geen gids uit Parijs als je een tocht door de Amsterdamse grachten maakt. Die jongen ís gids. Het is zijn beroep.'

Lies heeft haar knopjesneus opgetrokken. 'Jouw verantwoording, Engelbert.'

Precies hetzelfde zei zijn eigen Door.

'Ik wil wel naar Afrika, heel graag zelfs, maar wie zorgt er voor Wieger in die tijd?'

'Zou hij niet voor zichzelf kunnen zorgen die paar weekjes?'

'Voor zichzelf, ja, maar niet ook nog voor de planten, de geit, de katten en de kippen. En het kan gaan vriezen, de waterleiding en de druivenkas.'

De kippen? Draai ze de nek om, heeft hij bij zichzelf gedacht, maar hij heeft iemand gevonden die de zorgen van zoon Wieger zal verlichten.

'Op jouw verantwoording.'

In het vliegtuig is Evelien nog eens komen zeuren over de volle maan. Engelbert heeft alle verantwoording van zich afgeschud.

'Er komt wel een wolk voor die maan, als we daar zijn.'

De vlucht naar Sougouni duurt negen uur. Daar moeten ze zes uur wachten op een aansluiting. Er is een restaurant in de luchthaven, er zijn winkeltjes en er zijn zoveel mooie mensen te zien, dat zelfs zes uur snel voorbij zijn. Een kleiner vliegtuig brengt hen verder naar Oudougoangi, de rommelige hoofdstad van het staatje Gondom. Er is een kaal luchthaventje. Bij het uitstappen zien ze Munengo al staan achter een hek. In Sougouni was het zomers. Hier komt de hitte hen tegemoet, een houten keetje staat te blakeren in de zon. Daar worden de paspoorten gecontroleerd door een magere jongeman en de bagage door twee lacherige meisjes wier haar tot een stijf matje is gevlochten. Ze lijken al meer op de jongens van Womg'bumi, minder statig dan de Sougounezen. Een soort generaal met een groot geweer en een pet vol goud houdt toezicht.

Stralend komt Munengo hen tegemoet. Hij wordt uitgebreid omhelsd. Hij pakt zoveel koffers en tassen aan, als hij kan vasthouden en gaat vooruit naar een doorgezakte taxi die laag op zijn wielen staat te wachten. Alle bagage wordt met touwen op het dak bevestigd, de reizigers kruipen in de hete ruimte. Het gaat net, ze zitten stijf tegen elkaar aangepropt. Munengo zit naast de chauffeur en daar kan Lydia ook nog wel bij. Als ze eenmaal rijden geeft de warme wind toch een gevoel van frisheid, want de raampjes voor zover ze aanwezig zijn, blijven open.

Met een gemoedelijk vaartje gaan ze op weg, bonkend over stoffige wegen. Er is iets aan de hand met de vering van de auto. Ze krijgen onverwachte schokken en horen soms een knal. Het verkeer bestaat vooral uit voetgangers, veel ervan proberen mee te liften. Niemand praat veel, want het Frans is moeilijk en ze zijn moe. Ze hebben de hele nacht gevlogen en maar weinig slaap gehad. Bovendien is er natuurlijk veel te kijken. Door probeert de bomen te herkennen die verspreid in de gele vlakte staan. Ze heeft zich er thuis op voorbereid. Engelbert kijkt naar de lage lemen huisjes met open deuren en weinig of geen ramen erin. Rozemarie geniet van de blote kindertjes die eromheen scharrelen. Ze kijken met wijde ogen en wuiven. Frits verbaast zich over de heldere kleur van de vruchten die in kraampjes liggen uitgestald. De dikke stofwolk achter hun taxi is ondoordringbaar en als ze iemand tegenkomen, zie je niets meer. Dat vuil komt allemaal op de koopwaar terecht en toch straalt de frisheid eraf. Lies vraagt zich af, waar al die lopende mensen heen gaan. Soms zie je een half uur lang geen huis. Lydia ziet alles en wil alles in zich opnemen net als Johannes. Evelien zit tussen Jootje en Engelbert in. Ze kijkt naar het wollige haar van Munengo en de chauffeur, hun gebarende handen met de lichte binnenkant en hun glimmende koperen armbanden. Straks zal ze Demba zien.

Evelien heeft de afgelopen maanden veel gedacht aan de jongen met zijn glinsterende ogen.

Ze heeft de reis grotendeels zelf verdiend en toch een bijdrage van haar ouders gekregen, zodat ze een draagbare radio voor hem heeft kunnen kopen.

'Hoe lang is het rijden, Munengo?'

Hij lacht breed. Hij weet het niet.

Er wordt een keer gestopt om benzine te laden. Even rondlopen. Er zijn flesjes mineraalwater en limonade te koop. Van de vruchten durven ze tot hun spijt niet te eten.

En weer vraagt Engelbert: 'Waar zijn we nu? Is het nog ver?'

Hij heeft een landkaart gekocht en zo ongeveer de afstand berekend, maar zich verkeken op de schaal en hij heeft er geen rekening mee gehouden dat de taxi niet sneller rijdt dan dertig kilometer per uur.

'Morgen gaan we verder. Over een uurtje zijn we in Mbongue, daar is een hotel.'

Het is een uitstekend hotel, de bedden zijn schoon, de douches geven een straaltje lauw water en het eten is lekker: rijst, kip en sla met uitjes, pepers en onbekende dingen.

'Het is rauw, maar ik eet het op, hoor Frits. Ik eet alles,' zegt Evelien.

's Morgens vroeg is er een andere taxi, even gammel als de eerste. Hij brengt hen weer een paar uur verder naar een stoffig terrein buiten een stadje, waar ze moeten overstappen. Munengo gaat op zoek naar het volgende vervoermiddel. De onervaren toeristen blijven op een kluitje staan en bewaken hun koffers en rugzakken.

Tientallen jongens bieden zich aan als gids.

'Waar wil je naar toe? Waar kom je vandaan? Hoe heet je?'

Eindelijk komt Munengo terug.

'Dit is het laatste traject,' verklaart hij, 'Nu duurt het niet lang meer.'

Onderweg eten ze sandwiches die ze hebben meegekregen van het hotel. Hier is het land wat groener, er zijn echte bossen en aan de kant van de weg zien ze een paar keer apen. En werkelijk het duurt maar twee en een half uur, dan stopt de taxi midden in een dorp van ronde huisjes met een paar grotere gebouwen van leem. Munengo wijst. Daar staat het schooltje, waar de jongens van Womg'bumi hun Frans hebben geleerd. Tegen de gele muur zitten een paar kinderen. Ze komen traag overeind. De hele dag zijn ze daar al, wachtend op Munengo en de gasten.

'Ze komen helpen dragen,' zegt Munengo, 'want verder moeten we lopen.'

'Ik draag mijn rugzak zelf,' zegt Lydia. Evelien vindt ook dat ze het zelf moet doen. Het beeld van luie reizigers met een sleep zwarte lastdragers achter zich aan staat haar tegen. En geen van deze jongetjes lijkt ouder dan veertien jaar.

'Geef die tas nou maar. Jullie zijn het niet gewend.'

'Hoe lang moeten we eigenlijk lopen?'

Munengo zegt: 'Het is niet ver.'

Lydia begint te lachen. 'Weet je nog Evelien? Dat zei hij ook in Körnerstachelturm.'

Ze weet het nog. 'Ik probeer, hoe lang ik het vol kan houden.'

Lies geeft zonder probleem haar koffer aan een tenger mannetje, die hem met een zwaai op zijn hoofd zet.

'Ga niet van de weg af,' waarschuwt Munengo.

Het pad is zo smal dat ze meestal achter elkaar moeten lopen. Er hangt een drukkende atmosfeer, maar de zon dringt niet door het dichte groen. Het bos is stil, vogelgeluiden klinken ver en gedempt op een enkele brutale schreeuw na en soms blijkt uit een haastig geritsel dat een diertje vlucht. Niemand heeft het gezien.

'Hoe lang lopen we nu al?'

'Wanneer zijn we er?'

Lydia roept vrolijk: 'Het is niet ver.'

Rozemarie krijgt pijn aan haar voeten. Net doen of het niet waar is. Engelbert kan haast niet meer. Laat alsjeblieft niemand het merken. Alleen Lies heeft nergens moeite mee. Ze houdt van wandelen en ze heeft stevige schoenen aan. Maar ze kan niet laten kribbig tegen Engelbert te zeggen:

'Kijk, betreffende een gids, dit is nu wat ik bedoelde.'

'Dan had je dit van tevoren moeten zeggen, of thuisblijven.'

Eindelijk is het Johannes die durft te zeggen: 'Hec daar vooraan. Zeg eens dat ik even wil gaan zitten.'

De stoet houdt halt. Rozemarie vraagt om haar tas. Ze wil een paar andere schoenen aantrekken. Engelbert gaat languit aan de kant van de weg op de grond liggen.

'Beter hier,' zegt Munengo tegen hem, 'op het pad.'

Engelbert zucht hoorbaar, denkt: laat me met rust. Maar Door begrijpt het: 'Hij bedoelt: er kan een slang tussen die planten zitten. Niet Munengo?'

Munengo keert zich om. Die witten ook altijd. Wat die vrouw doet is hetzelfde als hardop roepen: 'Slang, slang, hier moet je zijn.' Als je het gevaar noemt, trek je het aan.

Er zit niets anders op, ze moeten verder, degenen die druipen van het zweet zijn er nog het beste aan toe.

Het eerste wat ze van Womg'bumi bemerken is de geur. Vuur en geroosterd vlees, er wordt een feestmaal bereid. Dan horen ze stemmen, opgewonden kindergekwetter:

'Ze zijn er! Ze zijn er!'

Lachende vrouwengezichten op een afstand, waardige mannen. Munengo leidt hen tussen de lage huisjes door. De zon is nu bijna onder. Het late licht schijnt geel over de bladerdaken. Overal zijn glanzende ogen en knisperende vuurtjes.

'Jongens, we hebben het gehaald,' zegt Lydia.

En Frits zegt: 'Doe nog even je best. We mogen nu geen armzalig stelletje zijn.'

Ze worden naar het opperhoofd gebracht. Hij zit op zijn bankje voor het mannenhuis. Een rode geweven doek om zijn middel. Kettingen om zijn hals met tanden, botjes, veren en cowrieschelpjes en ringen in zijn oren. Hij kijkt iedereen doordringend aan. Dan begint hij een redevoering af te steken. Munengo moet vertalen.

'Jullie zijn welkom in Womg'bumi. Mijn huis is jouw huis. Er is een grote vriendschap tussen de mensen in het land van het groene woud en het land waar de bladeren van de bomen worden opgegeten door de kou, zoals mijn zonen hebben verteld. Wij zullen met elkaar het voedsel eten dat onze vrouwen hebben bereid, wij zullen samen de gistende palmwijn drinken en de rode noten kauwen,' enzovoort, enzovoort.

Nu moet iemand antwoorden, Engelbert is de aangewezen persoon. Maar hij voelt zich er niet toe in staat, de vermoeidheid en vooral de warmte verlammen hem en hij zegt:

'Alsjeblieft Frits, doe jij het.'

Frits begint hakkelend met: 'Zeer vereerd opperhoofd, het is ons een grote eer,' maar opeens komt hij op gang en hij beschrijft zijn bewondering voor de dansende jongemannen die hij heeft leren kennen, voor de charme van het dorp Womg'bumi te midden van de overweldigende groei in dit gebied na hun lange reis door het droge gele land. Hij slaagt erin een toespraakje te maken dat lang genoeg duurt, ook al doordat alles door Munengo wordt vertaald. Evelien souffleert de moeilijke woorden.

Als Frits dan geschenken wil aanbieden, blijkt dat de koffers en tassen zijn verdwenen. De jongetjes hebben alles naar de nieuwe woningen gebracht. Die ceremonie wordt dus even uitgesteld. Met buigingen nemen ze voorlopig afscheid en dan mogen ze naar hun eigen verblijf. Ze zijn eindelijk aangekomen.

De grote hut is voor de mannen, het kleintje voor de vrouwen.

'De logica ontgaat me,' zegt Rozemarie, 'de verhouding is drie op vijf. Wij kunnen daar niet eens allemaal in.'

'Andere cultuur, andere logica,' zegt Frits opgewekt. 'Johannes, eindelijk komen wij mannen tot ons recht.'

'Waar is de badkamer?' vraagt Lydia.

Ze schrikt, als Munengo wijst: 'Hier.' Tijdens het festival heeft ze ook al gemerkt dat de jongens, hoewel ze van het Nederlands niets verstaan, toch heel vaak begrepen waarover gesproken werd.

De badkamer bestaat uit een vierkant hokje van doeken die tussen bamboe staken zijn gespannen. Er staat een enorme bak helder water in. Je moet op een vloertje gaan staan en water over je heen scheppen met een blikje. Twee inkepingen in de bamboes vormen een haak voor handdoek en kleding. Aan alles is gedacht.

'En als er niet genoeg water is, moet je het zeggen, dan halen de vrouwen meer.'

'Bedankt Munengo, het is prima in orde.'

'Ze hebben dit allemaal speciaal voor ons gemaakt, twee hele huizen gebouwd. Is het niet geweldig?'

Ja, het is geweldig, daar zijn ze het wel over eens. Niemand heeft wonderen van luxe verwacht. Een nieuwe hut met nieuwe bedden en schoon water, meer mogen ze niet verlangen.

'Een wc had er anders wel bij gekund,' zegt Rozemarie, 'We moeten de bosjes in en dan? Allemaal in diezelfde grote bak onze handen wassen?'

'Ik heb desinfecterende zeep.'

Frits heeft het gezelschap te uit en te na gewaarschuwd. Hun begrippen over hygiene zijn anders dan die van ons. Hij heeft dan ook een complete medicijnkast meegevoerd. Later ontdekken ze dat de mensen zelf zich wassen in het riviertje. Het duurt weliswaar meer dan een kwartier om erheen te lopen, maar toch doen ze dat dan ook maar in het vervolg, vooral als ze hebben gezien, hoe het water wordt gehaald. Jonge meisjes sjouwen eindeloos heen en weer met kruiken op het hoofd, niet alleen voor de gasten, maar ook voor het eten en voor de landjes waar ze hun groenten en granen verbouwen.

Engelbert knapt helemaal op, als hij zich in de badkamer heeft opgefrist. Het wordt in de avond ook een klein beetje koeler.

'Zullen we toch maar ruilen?' stelt hij voor. 'Wij met ons drieën in de kleine hut en de vrouwen hier?'

'Laten we het dan stiekem doen,' zegt Door, 'Ze hebben zo hun best gedaan voor ons en je weet niet of we ze erdoor zouden beledigen.'

Ze blijven tijdens het uitpakken tussen hun twee huisjes heen en weer lopen. Kleine kinderen die hen willen begluren worden weggejaagd door grotere die even nieuwsgierig zijn.

'Wat doen we, geven we alle cadeaus tegelijk of nu een paar en later nog wat?'

'Alle cadeaus, alsof het zo veel is. Ze verwachten een motorfiets.'

'Toch maar wat bewaren.'

Door heeft uitgevonden wat er bedoeld wordt met wax hollandais: lappen van dunne katoen bedrukt met grote patronen in de diepe kleuren, waar een zwarte huid zo mooi van wordt. Ze heeft er verschillende van meegenomen. Johannes heeft in wanhoop gezocht eerst naar een nieuwe, toen naar een gebruikte gitaar. Ze waren altijd te slecht of veel te duur tot hij er op het laatste ogenblik een heeft gekregen van iemand die er nooit meer op speelt, maar gek is op Afrikaanse muziek. Zo zijn ze trouwens aan het grootste deel van hun geschenken gekomen. Bedelen bij familie en vrienden. Evelien heeft haar radio speciaal voor Demba gekocht, maar ze heeft hem nog steeds niet gezien.

Ze zijn nog aan het uitzoeken, als Munengo komt vertellen dat het eten klaar is. Frits vraagt hem:

'Wat is het beste? We hebben een paar kleine geschenken meegebracht. Wanneer moeten we dat geven en hoe?'

'Geef alles aan mijn vader.'

'Er zijn dingen voor vrouwen bij en ook wat speelgoed voor kinderen.'

'Het is heel goed van jullie. Mijn vader zal het eerlijk verdelen. Geef het na de maaltijd.'

Zo moet het dus maar. Ze zitten in een grote kring samen met een aantal mannen en ze eten om de beurt uit dezelfde schotel. De Hollandse vrouwen eten met de mannen mee, maar de zwarte vrouwen krijgen pas later wat er overblijft.

Ze komen wel allemaal kijken, als Engelbert met zijn schatten aan komt zetten.

'Oeh oh, wat mooi, wat mooi.' Munengo's vader laat alles naar zijn woning brengen. Uitdelen komt later wel, misschien pas veel later. Een fles whisky wordt opzij gezet. Ngunza zegt:

'Het is te gevaarlijk voor ons. Wij zullen het aan de goden geven. Wij zijn heel dankbaar dat u ook aan onze goden heeft gedacht.'

En dan komt de muziek, het bestaat uit slagwerk in allerlei uitvoeringen en variaties. Rozemarie vindt het eentonig, Johannes onvoorstelbaar ingewikkeld, Evelien laat de klanken door zich heen gaan. Eindelijk is ze hier, waar ze zo erg naar heeft verlangd en de vreemde muziek, de geur, de glimmende lichtjes in het donker, heel de sfeer van de warme tropennacht ontroeren haar meer dan ze zich heeft kunnen voorstellen.

Er wordt ook gedanst, vooral door vrouwen die plotseling uit het donker naar voren komen en een korte heftige voorstelling geven. Munengo doet er wat verontschuldigend over, maar dat is niet nodig. Het is allemaal zo heel echt Afrikaans. Eindelijk scharrelen ze met hun zaklampjes in het pikdonker terug naar de gastenverblijven.

'Kijk eens naar boven,' zegt Door.

Daar ligt de hemel, een levende mantel van sterren.

Het is een boeiende reis en tot nu toe gaat het goed.

De jongens die naar het festival zijn geweest, komen een voor een wat schuchter te voorschijn. Pas in de middag van de volgende dag is het gezelschap weer bijna voltallig en wordt er op een ontspannen manier met elkaar gesproken. Alleen Demba ontbreekt nog steeds. Evelien heeft al naar hem gevraagd, maar Munengo gaf geen duidelijk antwoord.

'Demba? Ja, hij zal wel komen, morgen misschien. Dan zal hij er zijn.'

Morgen, geen Demba. Evelien vraagt het aan Siofok. Die begint te lachen.

'O zeker, het gaat goed met hem. Hij komt gauw terug.'

En opeens aan het eind van de middag wandelt Demba het dorp in zo trots als de overwinnaar van een veldslag.

Evelien voelt zich wee worden door zijn uitstraling.

'Demba, je bent er en hier ben ik.'

Iedereen in Womg'bumi weet waar hij is geweest, maar niemand vertelt het aan Evelien, noch aan een van de andere gasten. Demba is naar een naburig dorp geweest om te onderhandelen over een vrouw.

Munengo is de oudste zoon van het stamhoofd. Het is niet passend dat een jongere broer eerder trouwt en dat heeft Demba al een hele tijd dwars gezeten. Als Munengo geen vrouw hoeft te hebben, als hij zijn vader niet wil opvolgen, moet hij dat zeggen. Demba staat klaar om zijn plaats in te nemen. En hij heeft geen zin om jaren te wachten.

Voor Munengo is het een moeilijk besluit. Hij weet: hoe langer het duurt, hoe meer hij Womg'bumi ontgroeit, maar toch wil hij zijn leven in de stad nog niet opgeven, hoewel het in veel opzichten geen gemakkelijk leven is. Demba heeft zijn vader onder druk gezet, toen hij hoorde dat de Hollanders naar Afrika wilden komen.

'Er is een vrouw bij, die ik zeker kan krijgen. Het is nu de tijd ervoor. Moet ik wachten tot mijn zaad is opgedroogd, zodat ik alleen maar kleine zwakke kinderen zal kunnen maken?'

Met dat zaad zal het wel loslopen. Bij zijn vader is het nog lang niet opgedroogd, maar die heeft toch wel begrip voor de situatie. En bovendien, een witte vrouw in het dorp kan veel voordelen opleveren. Hij ziet het helemaal voor zich. Misschien geeft haar familie dan wel een motorfiets. Alleen, stel dat Demba hem opvolgt, dan zou die witte de voornaamste vrouw van het dorp worden en dat kan natuurlijk niet. Demba kan haar krijgen, als hij dat zo graag wil, maar dan toch maar liever als tweede vrouw. Daarom is hij er in allerijl op uitgestuurd en nu komt hij triomfantelijk thuis. Alles is geregeld. Als er veertig geiten worden betaald, kan hij zijn bruid gaan halen. Aan zijn vader is nu de taak te onderhandelen met de familie van Evelien, want dat is een ingewikkelder zaak. Demba is uitgelaten vrolijk.

'Eveline, ik ben zo blij dat je hier bent in ons dorp.'

Munengo ziet hun ontmoeting. Hij keert zich zwijgend om.

Er is weinig te doen voor de witte mensen. Ze maken dagelijks de wandeling naar het riviertje, waar ze lekker een hele tijd rond plenzen. Ze proberen vissen te vangen op de manier van de vrouwen met een puntige stok, het lukt geen enkele keer. Het is moeilijk met de vrouwen te praten, de meeste zijn nooit naar school geweest en anderen maar heel kort. Ze zijn lacherig en verlegen. Rozemarie en Lydia maken het beste contact. Hoewel Lydia zelf haast geen Frans kent, komt ze door haar opgewektheid het verst. Evelien doet haar best op de zangerige taal. Alle lettergrepen in een zin krijgen evenveel nadruk. Alleen de toonhoogte bepaalt het belang van een woord en vaak ook de betekenis. Ze probeert de klanken zo goed mogelijk na te zeggen, wat veel gelach veroorzaakt. Ze voelt zich helemaal op haar plaats. Er wordt niets van haar verwacht en ze vindt de warmte heerlijk: alleen een dun dingetje aan en langzaam zijn. Thuis kan ze nooit uit haar bed komen, hier gaat het vanzelf. Ze wordt wakker, als ze de stampers in het hout hoort rammelen, luistert tevreden naar het geklokklok in de holle vijzels en de heldere stemmen. Er komen zonnestralen binnen door de kieren van de wand en dan staat ze op, want dan wil ze erbij zijn. Het wordt hun heel sterk afgeraden het bos in te gaan. Een deel ervan is zelfs helemaal verboden, maar er zijn wel paden, waar vooral Door graag in haar eentje de planten en vogels bekijkt. De eerste dagen bevalt het best lui te zijn en de hitte maakt hen ook niet actiever. In plaats van uitstapjes in de omgeving moeten ze tevreden zijn met kijken naar de activiteiten van de inwoners en dat is interessant genoeg.

Mannen klimmen in de top van zwaaiende palmen om er het sap uit op te vangen. Dat begint door de warmte meteen al te gisten en moet nog dezelfde dag gedronken worden. Het is het lekkerst, zolang het nog niet te zwaar is. Toch wordt het niet als alcohol beschouwd. Er worden bijennesten uitgerookt, er worden harige knaagdiertjes gevangen en in hun geheel geroosterd en opgekloven. Vrouwen friemelen met razendsnelle bewegingen weefsels in elkaar en mannen snijden hout. Johannes is er niet bij weg te slaan.

's Avonds laat komen ze samen in de grote hut om elkaars ervaringen te vertellen.

'Het cultuurverschil is op een heel andere manier moeilijk dan ik had gedacht,' zegt Rozemarie, 'In het begin liepen de kleinste kinderen huilend naar hun moeder, als ik eraan kwam. Ze vonden mij een griezelig wit monster, maar ik heb ze met popjes en molentjes kunnen verleiden. En wat zie je dan gebeuren? Een groter kind loopt met het speeltje dat ik aan zo'n kleintje had gegeven en dan geeft het alleen maar meer verdriet als ik het wil herstellen. De jongste is niet meer te bewegen het ding aan te nemen, hoeveel tranen het soms ook kost.'

Door zegt: 'Ze hebben andere opvattingen dan wij. Ze lijken zo ongegeneerd. Het kan ze niets schelen of je ze ziet als ze de bosjes ingaan. Daarom durfde ik aan zo'n vrouw te vragen, hoe ze doen met hun menstruatie, want dat interesseert me. Ze hebben vrijwel geen kleren aan, ze kunnen zich niet behoorlijk wassen bij huis. Waar laten ze hun rommel? En weet je wat ze zei? 'Wij hebben dat niet.' Zouden ze er niets over willen zeggen. Taboe, net als vroeger bij ons en dan verzinnen ze maar wat. Het kan toch niet, dat zij dat niet hebben. Wat denk jij daar nu van, Frits?'

'Ik weet niet wat ik daarvan denken moet. Misschien hebben ze er minder last van. Ze zijn vaak zwanger en ze zogen hun kinderen eindeloos. Dan blijft het soms weg, maar niet altijd. En er zijn nogal wat jonge meisjes. Ze trouwen hier gelukkig niet zo waanzinnig vroeg.'

Soms blijven ze nog heel lang praten en vaak zijn Evelien en Lydia er niet bij. Ze hebben afspraakjes in de zwoele tropennacht. Ook Lies Liefferink blijft wel eens weg. In een gebloemde bermuda en een witte ribbeltjesblouse verdwijnt ze achter de omheining. Frits en Rozemarie of Engelbert en Door nemen om de beurt hun kans waar om in de kleine hut met elkaar alleen te kunnen zijn. Als het dan overal doodstil is geworden sluipen ze naar hun eigen bedden, zoals ze het onder elkaar hebben verdeeld en in de ochtend proberen ze ongezien naar buiten te komen, want ze willen liefst niet laten merken dat ze de huizen hebben geruild.

Evelien ontmoet haar minnaar alleen in de avond. Overdag doet hij alsof hij haar niet kent. Ze ziet hem eindeloos spelletjes doen met zijn vrienden. Het lijkt een soort halma. Ze hebben een langwerpig bord vol kuiltjes, waarin bonen worden verplaatst. Ze tekenen ook wel eens een figuur in het zand en spelen met witte en zwarte steentjes. Ze doen het heel serieus en er komt altijd veel opwinding bij te pas.

Een andere keer ontmoet ze Demba, terwijl hij achter een kip aandraaft. Hij graait het schreeuwende beestje tussen de bamboe uit en draagt het ondersteboven aan haar poten weg. Demba kijkt Evelien geen ogenblik aan, hij verstopt zich achter de omheining en wacht heel lang, tot ze, langzaam lopend, een eind verder is gegaan. Dan gaat hij met zijn kip naar Yahi, want zij moet ervoor zorgen dat de witte vrouw van hem blijft houden. Hij laat niets aan het toeval over.

'De witte vrouw?' vraagt Yahi, 'je bedoelt zeker de vrouw met de lachende ogen, die lijkt op de gevlekte orchidee?'

'Nee, de lange blonde.'

Yahi heeft zichzelf geen enkele keer aan de gasten laten zien, maar ze zit ze vanuit haar donkere huisje te beloeren, als ze in de buurt komen. En als ze samen met de mannen eten, is ze bij het publiek achteraan in het donker. Ze heeft de vreemdelingen goed geobserveerd.

'Ik begrijp het.'

Mannen.., denkt Yahi, waarom maken ze toch zo dikwijls de verkeerde keus? Een vrouw die de helft van de tijd loopt te dromen. Haar gedachten zijn geklonterd als de zaden van de mais en ze heeft ook haren die erop lijken of ze uit een maiskolf zijn gegroeid. Het zal niet meevallen die te leren water halen. Het is te hopen dat ze tenminste vruchtbaar is. Dat is het belangrijkst.

'Het zal gebeuren, zoals je wilt, Demba. Als je twee kippen offert, zal ik zorgen dat de witte vrouw alleen nog maar aan Demba denkt.'

Demba gaat er meteen op uit voor nog een kip.

7

'Wat was er ook weer aan de hand met de maan?' vraagt Door op een avond, als ze bij elkaar zitten.

'Dat heeft nooit iemand ons duidelijk gemaakt. We moesten niet met volle maan komen, dat is het enige wat ik ervan weet.'

'Dat hebben we niet gedaan, want we zijn er al. Morgen is het zover. Als ze niets meer hebben gezegd, is het dus wel in orde.'

Door heeft de enorme schijf gezien, die ver achter bergen en bomen naar boven schoof.

'Jullie moeten eigenlijk mee gaan kijken. Als je het riviertje volgt, is er een plaats waar je heel mooi kunt zien, hoe de maan opkomt. Het is een overweldigend gezicht.'

'Dat moeten we niet doen,' zegt Evelien. 'Overmorgen oké, dan is hij nog bijna vol, maar Demba zegt dat het spookt morgennacht.'

'Ben jij bang voor spoken? Kom nou.'

'Misschien bedoelt hij iets anders.'

'Dan moet hij dat zeggen.'

Frits zegt: 'Ik heb nog nooit de kans gehad een echt spook te zien. Een reden te meer om naar de maan te gaan kijken, maar het mag niet. Munengo heeft me gewaarschuwd.'

Munengo heeft gezegd: 'Morgen is het volle maan. Dat is de nacht van de vrouwen. Je zult het wel horen. Wij mannen mogen daar niet bij zijn. We doen onze stam een groot kwaad, als we dan in de nacht naar buiten zouden gaan.'

Frits heeft het begrepen, hij heeft beloofd dat hij binnen zal blijven en Munengo kan erop rekenen dat Johannes en Engelbert dat ook zullen doen.

'Het is jammer. We moeten ons eraan houden. Ik heb het beloofd.'

'Maar wij niet,' zegt Rozemarie, 'wij zijn vrouwen. Het valt me toch van ze mee, dat ze ons niet buiten sluiten.'

'Maar ze hebben ons ook niet uitgenodigd,' zegt Evelien, 'waarom willen jullie niet begrijpen dat sommige dingen hier heilig zijn. Al zijn wij vrouwen, we weten er niets van, hoe je je bij zo'n vollemaansbijeenkomst gedragen moet.'

Dat er aan de andere kant van het dorp een vrouwenhuis bestaat en wat daar wordt gedaan is zorgvuldig voor de gasten verborgen gehouden. Ze hebben wel een onrustige bedrijvigheid opgemerkt en naarmate de avond nadert neemt de spanning toe. Vroeger dan anders trekken de mannen zich terug en de gasten doen dat ook. Alleen Lydia wandelt nog naar het riviertje. Ze spoelt opnieuw het zweet van zichzelf en haar kleren, ze wikkelt zich in haar handdoek tegen de muggen en gaat zitten op een steen. Ze denkt: wat is dit heerlijk. Misschien maak ik zoiets mijn hele leven nooit weer mee. Een warme nacht, zilverspetterend water, een miljoen sterren in de lucht en straks komt de maan. Wat zei Door ook weer, je moet het riviertje volgen.

Het water bruist en klotst over de stenen, lange luchtwortels haken als reuze spinnenbenen in de bedding, verderop is een soort waterval. Is Door daar omhoog geklommen? Lydia zou het niet eens durven overdag, als het licht is.

Wanstaltige nachtvlinders, ronkende torren en wazige muskieten gonzen om haar heen. Als ze er eindelijk genoeg van heeft, wandelt ze weg van de luidruchtige stroom over het stille paadje naar het dorp waar het al even stil is. En dan ziet ze een moment ver weg in het donker iets bewegen, een spook? Het lijkt op een enorme ballon, zo vreemd. Het verdwijnt meteen in het bos, ze kan het zich verbeeld hebben.

Toch een beetje huiverig door de geheimzinnige sfeer en de ongewone stilte overal loopt ze nu heel snel naar het grote gastenhuis. Ze wil de deur opendoen, maar het gaat niet. Lydia rukt eraan, dan ziet ze dat er op de grond een paar zware stenen tegenaan zijn gestapeld en bovendien is aan de bovenkant een touw geknoopt. Jachtig peutert ze het los, ze sjouwt de stenen opzij en valt bijna naar binnen.

Op de lage bedden zitten Door en Lies, Rozemarie en een beetje apart Evelien.

'Jullie zaten opgesloten.'

'We hebben het gemerkt. Iemand heeft aan de deur zitten prutsen. Wie het deed, weten we niet.'

'Ga eens kijken, of de mannen ook opgesloten zijn.' Lydia loopt erheen. 'Nee. Daar is niets bijzonders te zien.'

'Zie je wel,' zegt Rozemarie. 'Het is voor de mannen bedoeld. Dit is toch het mannenhuis. Wij hoeven ons er niets van aan te trekken. Ze weten niet dat we hebben geruild.'

Door begint te lachen. 'We zijn het niet eens, Lydia. Wat zeg jij ervan? Evelien denkt dat het uitgaansverbod ook voor ons geldt.'

'Ik heb geen idee eigenlijk,' zegt Lydia vaag. Ze moet nog denken aan de verschijning. 'Ik heb een spook gezien.'

'O, vertellen, hoe was het?'

'Het was een grote rond, donker ding veel hoger dan een mens en hij was zo gauw weg dat ik nu al niet meer precies weet wat het geweest is.'

'Ik wil het ook zien,' zegt Rozemarie, 'ik wil gaan kijken.'

'Daar zijn we weer,' zegt Door, 'Horen we opgesloten te zitten of was het voor de mannen bedoeld en kunnen wij gaan kijken wat er gebeurt.'

'Je weet niet welk gevaar je loopt,' zegt Lies.

'Och kom,' zegt Rozemarie.

'Het is onbeschoft, als je erheen gaat. We zijn niet uitgenodigd,' zegt Evelien, 'Het is hun godsdienst. Het bos is hun kerk. Laten we nou maar gaan slapen.'

Door zegt: 'Je hebt gelijk. Het hoort niet.'

Lydia is het er ook wel mee eens. 'We weten te weinig van hun geloof en hun gewoonten om...'

'Stil,' zegt Door, 'Luister. Het begint.'

'Ze zingen.'

De vrouwenstemmen klinken van heel ver. Door zet de deur op een kier. Telkens worden dezelfde klanken gezongen, wel tien keer achter elkaar, dan een andere regel, soms wisselt de melodie, soms de woorden, maar over het algemeen klinkt het tamelijk eentonig. Steeds meer stemmen doen mee, plotseling een lange uithaal of wild gelach. De vrouwen in de hut zitten gefascineerd te luisteren.

'Wat doen ze in 's hemels naam?'

'Ze hebben in elk geval plezier.'

'Ga jij maar lekker slapen, Evelien. Kun je zo een oog dicht doen?'

'Kijk, daar is de maan.'

De deur staat nu wijd open en daar staat de maan boven de bomen als een glanzende witte lantaren; alle bergen en kraters zijn duidelijk te zien.

'Goeie ouwe maan,' zegt Lydia, 'wat zit je vol pukkels.'

De vijf vrouwen zitten stil te kijken, hoe ze snel haast recht omhoog gaat. In het bos gaan de wilde klanken onverminderd door. En dan is het onverwacht Lies die zegt:

'Ik wil erheen. Ik moet erbij zijn.'

Ze is al in een lange nachtjapon, trekt alleen haar stevige wandelschoenen aan en loopt zonder omkijken de deur uit. Rozemarie gaat er meteen achteraan. Door en Lydia kijken elkaar aan.

'Wat zeg je daarvan?'

'Onvoorzichtig,' zegt Lydia, 'niets voor Lies. Maar ik geloof dat ik voel wat zij voelt. Ik ga ook.' En Lydia stapt in haar slippers.

'Niet doen,' zegt Door, 'Neem in elk geval dichte schoenen. Het ritselt van de slangen, schorpioenen en giftige spinnen in dat bos. Ik doe een lange broek aan.'

'Er zijn ook panters,' zegt Evelien.

Ze blijft alleen tot ook zij het niet meer kan uithouden. Ze zucht diep, het is bijna een snik. Dan houdt ze haar tas ondersteboven en laat alle kleren en schoenen eruit rollen. Ze verkleedt zich in een wijde broek en de donkerste shirt die ze bij zich heeft. Daarin voelt ze zich veiliger, opgeborgen, alsof ze zelf wat minder aanwezig is. Evelien gaat net als de andere vrouwen over het spookachtige paadje in de richting van het gezang en gejoel van het maanfeest.

'Ze horen er niet bij,' heeft Yahi gezegd,' Jullie zorgen maar dat de witte vrouwen thuisblijven.'

'Hoe moeten wij daarvoor zorgen, Yahi?' vroeg Yéré, 'Jij kunt ze betoveren. Wij niet.'

'Moet ik daar mijn krachten mee verspillen? Ik heb ze niet gevraagd hier naar toe te komen. Ik moet de zieken genezen, ik moet de voorouders te vriend houden. Ik zorg dat er genoeg van de gele drank is voor jullie maan en ik heb niets te maken met die witte mensen met hun bleke ogen en hun lelijke vlekkerige vel. Hun haar lijkt op een geitenbaard en het groeit op plaatsen waar helemaal geen haar hoort te zijn, zoals bij die lange met zijn apenarmen. En die vrouwen… Er is er geen een bij die weet hoe het hoort.'

Yéré, Ndumbe, Yo en alle anderen hebben samen overlegd: wat moeten we doen? Wat kunnen we doen? De gasten hun gedrag voorschrijven? Onmogelijk. Het enige waar ze toe in staat waren, hebben ze gedaan, de deur van de hut afsluiten. Ze weten allang wie waar slaapt. Yo heeft nog even getwijfeld, ook die andere hut?

'Nee nee, Yo. Mannen opsluiten?' Onderdrukt gegiechel. 'Ga nu mee, vlug.'

Het waagstuk was riskant genoeg.

Yahi knikt tevreden als ze het hoort. 'Kunnen ze er echt niet uit?'

'Yahi, zelfs jij zou met je toverkunst de stenen niet kunnen verplaatsen. Er is een grote geest voor nodig om die deur van binnen uit open te krijgen.'

'Goed, heel goed. Maar vergeet niet dat de uitgang weer vrij moet zijn, voordat de zon opkomt.'

Onder de oude baobap staat een houten trog vol palmwijn. De vrouwen dringen daar samen, zodat hun reuzenkoppen als luchtballonnen tegen elkaar aan veren. Onder de gevaarlijke tanden van hun gevlochten maskers zit een opening. Daardoor krijgen ze om de beurt een teug uit de ronde schep van kalebas die Yahi hen aanreikt. Van tijd tot tijd strooit ze wat van haar toverkruiden in de trog. En bij elke ronde giet ze een schepje wijn voor de geesten over de wortels van de heilige boom. Voor de boom is een open veld, platgetrapt door de dansende voeten van eindeloze generaties Womg'bumivrouwen. Overal eromheen glimmen kleine lampjes van brandend vet. Dat zijn de persoonlijke altaartjes, waar telkens nog eens een straaltje wijn voor wordt uitgespuugd. En in het midden laait een houtvuur, dat de fantastische koppen met geelrode vlammen verlicht. Vonken spetteren omhoog. Er is een voortdurend wisselen van wiegelende lijven, want de koppendans moet zonder ophouden doorgaan, evenals het gezang. De vrouwen zingen vooral samen, maar een enkele doet het voor zichzelf alleen. Niama heeft een kindje verloren.

'Aahaáaa, het kindje is dood.
Het heeft zijn oogjes naar binnen gedraaid.
Het wilde de dag niet zien.
Het wilde zijn moeder niet zien.
Het kindje, het kindje,
Ahaáhaáa, het is dood.'
Niama zingt net zolang tot het niet meer hoeft.

De zilveren maan staat hoog boven het diepdonkere bos. Lies is de eerste die in haar lange hemd bij het schouwspel verschijnt en het in extase in zich opneemt. Rozemarie is verbijsterd. Zij zou nu het liefst hard weglopen, maar de angst voor deze primitieve heftigheid verlamt haar.

Veel van de dansende vrouwen zijn in trance en merken niet wat er om hen heen gebeurt. Enkelen hebben de indringers gezien.

'Ze zijn toch gekomen.'
'De stenen waren niet zwaar genoeg.'
'De witte vrouwen hebben grote kracht.'
'De maan heeft hen geroepen. De maan is machtiger dan steen.'

Door en Lydia komen aan. Ze zien Lies langzaam met haar hoofd wiegen, maar Rozemarie staat bevend toe te kijken. Ze vond tot nu toe de Womg'bumimensen vriendelijk, kleurrijk, dom en vooral vies. Hier ontmoet ze hun andere kant. Ze voelt zich weerloos tegenover een onbekende bedreiging. Rozemarie begint te huilen.

Lies stapt onzeker naar voren en begint in de werveling mee te draaien. Evelien komt later. Ze blijft heel stil in haar donkere kleding buiten het veld, haast onzichtbaar achter de lichtjes.

'Ze zijn gekomen,' mompelt Yahi in zichzelf. 'Mogen ze meedoen of maken we ze dood?'

Yahi is niet gesteld op het onverwachte bezoek, maar de andere vrouwen hebben er geen moeite mee. Witte mensen zijn nu eenmaal vreemd en onbegrijpelijk en onvoorstelbaar dom. Maar ze hebben vaak grote macht. Dat ze uit hun hut konden ontsnappen, bewijst het en dat ze naar het maanfeest zijn gekomen, bewijst dat ook zij de moederlijke kracht van de maangodin kennen. Zo voelen de zwarte vrouwen de situatie aan, hoewel ze zich geen ogenblik druk maken met overwegingen. Het maanfeest is een feest. Hup, dansen!

Twee van de hoge lugubere gestalten nemen Rozemarie bij de hand en brengen haar naar de trog met wijn.

'Drink, het zal je verlichten.'

Rozemarie is bang voor het troebele sop, maar ze durft niet te protesteren en slikt het door. Ook Lydia krijgt de ronde pollepel aangeboden. Ze drinkt plechtig met een buiging naar de boom, die ze als het centrum van heiligheid ervaart. Door proeft, wat zit erin? Het is niet onsmakelijk, prikkelend gekruid en licht alcoholisch. De vrouwen geven ook Lies te drinken en dan wordt Evelien uit de duisternis gehaald. Ze raakt al even vlug in trance als Lies. Yahi ziet het allemaal gebeuren. Ze moeten dan zelf maar weten wat ervan komt. Boos pakt ze haar boeltje bij elkaar om op te stappen. Lydia ziet haar gaan, een klein wit kopje, zwart rimpelgezichtje met drie oranje tanden en twee lange lege borsten die als lappen taai leer op haar buik hangen. Bik, bik, bik doen de holle kalebassen op haar gekrompen rug.

Nu komt het feest pas goed op gang. De witte vrouwen worden meegesleept in de dans. Ze beginnen de telkens herhaalde bezweringen mee te zingen en krijgen er dorst van. Nu Yahi weg is, gaat het drinken van de palmwijn niet meer geregeld. Ieder die er behoefte aan heeft, pakt de holle lepel, offert een scheutje en drinkt. De grond in de buurt van de boom wordt kliederig en glad. Niemand weet hoeveel uren voorbij gaan. Veel vrouwen zijn high en de overige aangeschoten. Door houdt nog het beste bij wat er gebeurt. Ze ziet dat er minder koppen zijn dan in het begin, sommige zijn al gehavend, pieken steken eruit en ze verliezen tanden. Drie vrouwen verlaten tegelijk het terrein, de middelste wankelend tussen de twee anderen in.

Een vleugje verantwoordelijkheidsgevoel begint in het brein van Door terug te keren. Wat zijn we hier aan het doen? Lies staat nog in haar zware schoenen en zwaait op een machinale manier met haar bovenlijf en armen. Ze ziet of hoort niets om zich heen. Lydia danst en drinkt en drinkt en danst, maar ze neemt kleine slokjes en ze kijkt nog helder naar Door: 'Vind jij het ook zo heerlijk?'

'Lydia,' zegt Door, 'We moeten er een eind aan maken. Kijk eens naar Rozemarie.'

'Och, het is wel goed voor haar,' zegt Lydia nonchalant. Rozemarie met haar poppengezicht en haar altijd correcte uiterlijk zit onder de modder, haar shirt is gescheurd en ze springt op blote voeten die net zo zwart zijn als die van de vrouwen om haar heen met een fanatieke glans in haar ogen. Evelien draait zacht zingend in het rond en kijkt naar de hemel.

'We moeten nu echt weg,' zegt Door.

'Goed dan.'

Lydia neemt Rozemarie bij de hand en Door Evelien en Lies.

'Schoenen, waar zijn onze schoenen?'

Nergens te vinden, naar de grond kijken, duizelig, en het is zo donker overal. Het vuur is ingestort, ligt nog boosaardig te smeulen en de meeste kleine lichtjes zijn opgebrand. Op een rijtje achter elkaar gaan ze het oerwoud door zonder schoenen, zonder zaklantaarn. Het is levensgevaarlijk, denkt Door. We zullen verdwalen. Wat zijn we stom geweest. Ze hoort vreemde geluiden: ritselen en hijgen, wilde beesten?

Ze verdwalen niet, daar is de omheining. Punten van ronde dakjes steken er bovenuit tegen de blauwzwarte nacht. Uitgeput belanden ze eindelijk in hun eigen veilige onderkomen. Thuis, zo voelt het nu al. Alleen, Lies is er niet.

'Wat moeten we doen? Lies is weg. Heb jij er iets van gemerkt.'

'Nee, zegt Lydia. Ze ligt al languit op haar stretcher. Evelien en Rozemarie zijn meteen in slaap gevallen.

'Moeten we niet gaan zoeken? Ze kan wel opgevreten worden door een weet ik veel.'

'Ja, morgen gaan we zoeken. De schoenen... en Lies.'

Door laat zich ook op haar bed zakken. Ze kan er niet alleen op uit gaan, veel te draaierig, maar niet echt dronken. Gewoon lekker. Ja, ze voelt zich heel erg lekker. Gekke Lies.

Anderhalf uur later komt Lies op eigen gelegenheid thuis.

Evelien wordt wakker. Ze heeft haar donkere shirtje nog aan. Wat is het heet. Ze hoort geen sorgum stampen. Langzaam dringt het tot haar door hoe ze de nacht heeft doorgebracht. Veel kan ze zich niet herinneren. Er was vuur, fantastische draaiende koppen en zingen. Het zingen tilde haar op. Ik was zo licht, zo licht, ik heb gevlogen. Dus op deze manier kun je ook jezelf kwijtraken. Ze heeft na Grenoble een tijd gehad dat ze er zelf niet helemaal was. Toen voelde ze zich eenzaam en waardeloos. Dit was het omgekeerde. Vannacht liet ze zich opgaan in een groot geheel, in de eredienst voor de godin van de maan. Natuurlijk, zo hoort religie te zijn. Niet een samenvatting van regels en geboden, maar het ervaren van het heilige dat in het dagelijks leven verborgen is. En hier doen ze dat zomaar, kunnen ze ermee omgaan.

Met Demba heeft ze al een paar keer over zijn geloof gepraat. Het is niet waar dat ze hier alleen maar in goede en kwade geesten geloven. Er is één god die boven alles staat, maar daarover spreek je niet en nog minder hoor je dat hoge heilige wezen lastig te vallen met je eigen onbeduidende wensen of verdriet. Zelfs een heel volk richt zijn gebeden tot een lagere instantie.

Evelien vindt dat een heel redelijke instelling en ze kan het beter accepteren dan een god die straft en beloont naar het hem invalt, zoals haar dat in het Zeeuwse dorp werd voorgesteld. Ook dat de voorouders zich nog min of meer met hun nakomelingen bemoeien kan ze eigenlijk beter aannemen dan ergens ver weg een hemel en ergens anders een hel, waar de doden heen zouden gaan. Of er is niets, of er bestaat toch een andere dimensie, waar meer of minder en misschien wel net zo veel goed en kwaad rondwaart als in de materiele wereld. En nu, vannacht heeft ze die dimensie ervaren, is ze er zelf geweest.

Terwijl ze ligt na te dromen met de echo van de vrouwenstemmen nog in haar hoofd, groeit haar verlangen om erbij te horen. Eerst was het alleen Demba, groot en sterk, die haar behoefte aan aanhankelijkheid vervulde. Toen ze hier eenmaal was, genoot ze van de warmte waar je zo lekker loom van wordt. In Holland moet altijd alles vlug, georganiseerd. Hier moeten vrouwen werken, okee, maar niet met agenda's en telefoon jakker, jakker, afspraak maken. En nu komt dit erbij: levende mystiek in plaats van versteende dogma's.

Ik blijf hier, ik wil hier nooit meer weg.

Het is al heel laat als Evelien tenslotte overeind komt. Bijna met tegenzin, omdat de sfeer van de nacht nog aan haar kleeft, spoelt ze zich af in het riviertje. Ze gebruikt geen zeep.

'Gaan jullie mee onze schoenen halen,' zegt Lydia.

'Ik hoop dat we die boom nog terug kunnen vinden, nu niemand meer zingt.'

'Er was een paadje. En we zijn weer thuisgekomen ook.'

Het paadje: groen en vochtig, hoge boomvarens, een chaos van woekerplanten en mos op omgevallen stammen, geschetter van vogels. Hierheen? Daarheen?

'Als we maar onthouden hoe we gegaan zijn.'

Door loopt voorop. Zij is de vorige nacht betrekkelijk helder gebleven en ze heeft oog voor planten. Als iemand de weg terug kan vinden is zij het.

'Moet dit een pad voorstellen? Ik denk dat we fout zitten.'

'O kijk eens. Daar is iemand.'

Het is Yahi. Ze zoekt kruiden die ze nodig heeft voor een ritueel. Nog nooit heeft iemand haar gestoord bij dat werk. Vrouwen plukken vruchten, mannen halen honing en palmwijn. Ze jagen op dwerghertjes en wilde varkens, maar dat doen ze niet in het heilige bos.

Het gekreukelde oude heksje richt zich op, ze steekt haar dunne armen afwerend uit en kijkt met haat in haar ogen naar de vijf vrouwen. Een ogenblik blijven ze zo tegenover elkaar staan. Dan zegt Door:

'Sorry, we hebben geen kwaad in de zin,' en tegen de anderen: 'Laten we teruggaan. '

Pas als ze weer veilig in het dorp zijn, valt de beklemming van ze af.

'Wat een griezelig mens was dat.'

'Waarom keek ze zo lelijk, we deden toch geen kwaad.'

'Hoe moet dat nou met onze schoenen?'

'Laten we het aan Munengo vragen.'

'Schoenen?'zegt Munengo, 'In het heilige bos? En jullie zijn Yahi tegenkomen?'

Munengo laat niet merken, dat hij ervan schrikt. Heel geduldig legt hij uit, dat het oerwoud in de omgeving van de heilige baobab verboden terrein is, gewijd aan de maangodin. Mannen mogen er helemaal nooit komen en vrouwen maar eens de maand. En wat daar is achtergebleven, zijn ze kwijt.

'Niets aan te doen dus,' zegt Lydia.

'Ik dacht het,' zegt Evelien.

Rozemarie heeft nog wel iets anders om aan te trekken en Door doet ook niet moeilijk, maar Lies, die haar stampers nog heeft, vindt het bespottelijk.

Engelbert, Frits en Johannes zijn al lang wakker, als het nog doodstil is in de vrouwenhut. Engelbert gaat als laatste van de drie baden. Op zijn gemak wandelt hij terug, het handdoekje om zijn middel, stuk zeep in zijn hand. Bij de omheining komt hij Rozemarie tegen. Ze zit vol zwarte vegen.
'Wat is er met jou gebeurd?'
Rozemarie had gehoopt dat ze ongezien naar het water kon lopen.
'Ik ben, geloof ik, gevallen. We hebben meegedaan met het feest van de volle maan. Wij allemaal, Door ook.'
'Gevallen. Tja, dat kan je gebeuren met een feest.'
Rozemarie ziet er niet uit. Engelbert wil nu direct weten, hoe Door eraan toe is. Waar is ze? Er zit geen bel op de grote hut en op een gevlochten deur van bamboe kun je niet kloppen. Engelbert blijft buiten staan en roept:
'Door? Ben jij daar, Door?'
'Mmm.'
'Kan ik erin komen?'
'Hh eh. Nee, Lies slaapt. We slapen nog.'
Dat kan ook gebeuren na een feest. Engelbert stapt naar zijn eigen huisje.
'Frits, onze vrouwen...'
Waar is Frits? Hij kijkt rond, loopt langs de volgende hut en slentert verder, het dorp in. Zo lekker dat dat hier kan, fris gewassen in de vroege zon buiten lopen. Hij is erg bloot in zijn kleine handdoekje met het stuk zeep en onbewust van de hilariteit die hij teweegbrengt met zijn knokig wit lijf vol steile zwarte haren.
Bij het hoge mannenhuis zitten altijd een paar oude baasjes op hun pruimen te kauwen. De oude Bapo is bezig een trommel in elkaar te prutsen en Johannes zit erbij. Engelbert blijft een beetje uit hun buurt, want de mannen spuwen voortdurend dunne straaltjes rood vocht om zich heen.
'Zit je ze weer de kunst af te kijken, Jo?'
'Ze maken al hun instrumenten zelf,' zegt Johannes, 'Ik had die gitaar helemaal niet mee moeten nemen.'
In Körnerstachelturm leken de jongens ervan bezeten te zijn. Oh ah, zo'n ding wilden ze allemaal wel hebben. Hier spelen ze liever op hun

eigen snarenkastjes van hout of kalebas, die niet zo subtiel en kwetsbaar in elkaar zitten. Ze timmeren met botjes op de balafon, ze drummen, drummen, drummen en ze blazen op iele rietfluitjes die ze na een dag alweer weggooien.

Johannes heeft ook de heilige instrumenten mogen zien, lange hoorns, indrukwekkende harpen en luiten en enorme trommels. Als een boom door de bliksem is getroffen, is dat een teken van de goden, dan wordt de uitgeholde stam voor een ritueel instrument gebruikt. Hele rijen staan in het mannenhuis bij elkaar. Er zijn erbij die er eeuwenoud uitzien. Tot zijn spijt heeft Johannes hun diepe stemmen niet mogen horen.

Bapo bespant de trommel met een vers geitevel. Hij heeft het middelste gedeelte van de natte huid heel gelaten en de rest ingesneden, zodat er een franje van smalle reepjes omheen hangt. Nu draait hij de reepjes een voor een stijf in elkaar en knoopt ze vast. Als het droog wordt krimpt het vel en het komt strak te zitten.

'Hij zegt dat het voor de mariage is,' zegt Johannes, 'Weet jij wat dat betekent?'

'Mariage? Dat is een bruiloft.'

'Waar? Wanneer? Kunnen wij het nog meemaken?' vraagt Engelbert aan de oude man.

Bapo is een beetje doof. Als hem iets gevraagd wordt, geeft hij een antwoord dat hem goed uitkomt.

'Veertig geiten,' zegt Bapo. Hij legt zijn werk even neer om het met zijn vingers voor te doen. 'Demba moet veertig geiten betalen voor zijn vrouw. Hij zal weer op reis moeten gaan, om er genoeg bij elkaar te krijgen.'

Veertig geiten en Demba. O juist. Op reis? Dan zal het nog wel een poosje duren, voordat die bruiloft wordt gevierd. Ze hebben nog maar een week. Jammer.

Geiten ruiken niet lekker en het vel van de dooie stinkt weerzinwekkend. Engelbert beent weer verder. Is Door nu nog niet uit haar bed? En waar zou Frits eigenlijk zitten?

Frits zit in de hut van het stamhoofd. Via Munengo werd hij opeens uitgenodigd voor een praatje. Ngunza is er nog steeds niet toe gekomen over een huwelijk te onderhandelen, zoals hij Demba had beloofd, want hij weet op geen stukken na, hoe dat moet bij witte mensen. Maar nu kan hij er niet meer onderuit.

Demba was door het dolle heen, toen hij erachter kwam dat de witte vrouwen toch bij het maanfeest zijn geweest. Als hij dat had geweten, dan had hij niet de eerste de beste ronde kop te pakken genomen die hij tegenkwam. Dan had hij háár kunnen hebben. Hij beschouwt Eveline al bijna als zijn bezit, maar zolang ze niet officieel zijn vrouw is, blijven hun avondontmoetingen steriel. De zeden van de stam zijn streng en Demba kan zich er als toekomstig dorpshoofd het minst van allen aan onttrekken. Hij moet zich gedragen als een pas geïnitieerd jochie dat eens in de maand als een dier in het bos mag paren. Dat moet nu maar eens uit zijn. Hij is een man en hij wil een eigen hut met een eigen vrouw, die altijd tot zijn beschikking is, twee vrouwen, drie. Ngunza moet een beetje opschieten.

Demba is helemaal niet meer gaan slapen. Hij heeft zijn vader opgewacht en zo gauw die naar buiten kwam is hij losgebarsten:

'Hoe ver ben je met de onderhandelingen? Of wacht je liever tot de witte mensen terug zijn gegaan naar hun koude land? Wacht je tot de gieren aan de darmen rukken van een impala die nu nog niet verwekt is in zijn moeders buik?'

'Ja ja ja,' zei Ngunza, 'ik zal het vandaag in orde maken.'

En meteen heeft hij 'Munengo erop uit gestuurd om de witte man te gaan halen die de beschermer van het meisje is. Tot ontzetting van Frits heeft Ngunza een scheutje whisky over de drempel gegoten en daarna aan hem een teug water aangeboden. En toen begon het praatje. Ngunza verstaat heel goed Frans, maar hij kan of wil het niet spreken en alles wat Frits zegt, laat hij toch nog eens door Munengo vertalen. Ngunza wil weten, hoe de gewoonten in Nederland zijn als een man wil trouwen. Hoe hoog is de prijs voor een bruid? Wordt het al vroeg door de ouders geregeld, of pas als de kinderen huwbaar zijn? En hoe is ook weer precies de samenstelling van het gezelschap? Wie is de oudste? Zijn ze allemaal familie van elkaar? Wie hoort bij wie?

Frits geeft geduldig antwoord op de vragen, maar hij begrijpt absoluut niet waar de oude man heen wil. In zijn voorstellingsvermogen is gewoon geen plaats voor het idee dat hij zijn schoonzuster zou uithuwelijken aan een Afrikaan. Hij probeert uit te leggen, dat verkopen van vrouwen in een beschaafde wereld niet hoort te gebeuren en dat 'bij ons' een meisje zelf bepaalt met wie ze trouwen wil.

Als het tot Ngunza doordringt dat Demba's verlangen blijkbaar niet zo buitensporig is als hij had gevreesd, dat zo'n witte bruid zelfs helemaal niets kost (hoe is het mogelijk), is hij zo opgelucht dat hij voorstelt dan maar meteen een ceremomiele overeenkomst te sluiten met de voorouders. En Frits stemt daar tot verbazing van Munengo blijmoedig mee in. Een ceremonie? Uitstekend, interessant, hij wil dat heel graag meemaken.

Het gesprek is afgelopen. Frits kan gaan en 'Munengo wordt er meteen op uitgestuurd om Yahi te halen.

Als Yahi de boodschap van Ngunza krijgt, wacht ze geen ogenblik, ze haast zich naar het geëerde opperhoofd. Hij vertelt wat er van haar verlangd wordt. Yahi buigt diep. Ze zegt niets, maar ze knapt haast van woede. Yahi haat de witte mensen met hun botte blik, hun ingepakte plemppoten die de aarde niet willen raken. Ze hebben geen benul van de ziel die in dingen is, in water, planten, eten. Overal gaan ze even onbehouwen mee om. Dus zover is het al gekomen. Eerst moest ze een liefdesdrank maken voor Demba, toen hebben de witte vrouwen de maannacht bijgewoond en nu moet ze een ceremonie houden in het bijzijn van de vreemdelingen. Ze zou ze net zo lief allemaal uitroeien. Zoiets is een klein kunstje voor haar. Ze heeft voor alles een middeltje. In haar hut liggen gedroogde kadavertjes, zeldzame kruiden en allerlei onduidelijke dingen zoals paddevellen, tot zilveren vliesjes gedroogd en fijngewreven, de blaas van een wrattenzwijn vol groene krokodillenoogjes, de ingedikte gal van een blauwe gaai, snorren van de wilde kat, die de ingewanden doorboren en doen ontsteken van iemand die ze in zijn eten krijgt, en natuurlijk ook doodgewoon slangenvergif. Acht mensen ziek maken en langzaam dood laten gaan zonder een spoor van de oorzaak, helemaal niet moeilijk en eigenlijk best leuk. Maar Yahi zal zoiets nooit doen op haar eigen houtje. Een dergelijke ingreep in de natuur mag alleen gebeuren als de voorouders er opdracht toe geven, omdat het in het belang is van de stam.

Yahi verbergt haar ergernis. Met een kwaadaardig licht in haar ogen gaat ze op weg naar het heilige bos. Ze is heel benieuwd wat de voorouders straks van deze transactie zullen zeggen. De geesten van de voorouders, van het woud, van de wind en het water zijn overal aanwezig. Je kunt ze zien: als er een wervelwindje dwarrelt op het pad, in het donker van gekronkelde lianen in de bomen en tussen de stenen in het riviertje als de zon er regenboogkleuren maakt. Ze zijn er en ze zijn op de hoogte van alles wat er in de stam gebeurt. Maar ze kunnen niet spreken. Het is de taak van Yahi het contact met hen te onderhouden en ze doet haar werk met toewijding. Ze kan met haar toverkunst de geesten oproepen. Stamleden die er gevoelig voor zijn worden door haar in trance gebracht, zodat de voorouders hun wensen kenbaar kunnen maken door middel van een menselijke stem.

Yahi betwijfelt sterk of de overeenkomst van Ngunza met de witte man naar de zin is van de voorouders. En als ze dan later rondscharrelt in de broeierige warmte van het heilige oerwoud en daar hun vrouwen tegenkomt, weet ze wel heel zeker dat de geesten zwaar beledigd zullen zijn.

Ngunza heeft de afkeer van Yahi heel goed gevoeld. Hij blijft een uur lang op zijn hoofdmanszeteltje zitten broeden. Heeft hij het verkeerd gedaan? Het is hem in zijn lange leven niet eerder gebeurd dat hij zo snel een beslissing heeft genomen. Hij betrekt altijd de raad van ouden bij zijn bestuur. Er is nooit haast, de gebeurtenissen in het dorp ontwikkelen zich langzaam en voorspelbaar. En nu is plotseling alles anders. Ngunza geeft niet Demba de schuld, die zo nodig met een witte vrouw moet trouwen, niet Yahi met haar onredelijke vreemdelingenhaat, maar Munengo die de eerste had moeten zijn die een vrouw nam, Munengo, die allerlei nieuwe en onbekende zaken meebrengt uit de stad, Munengo, die de witte mensen heeft binnengehaald. Hij heeft onrust in Womg'bumi veroorzaakt.

Munengo voelt zich ellendig. Zijn vader is kwaad, zijn gasten hebben zich misdragen en Evelien is zo goed als aan Demba verkocht. Hij begrijpt Frits niet. Die heeft zitten vertellen dat ouders niet horen te beslissen over het leven van hun kinderen. Hoeven ze hen ook niet te beschermen? Laten ze hen blindelings in de ellende lopen? Zijn witte mensen zo hard? Dat meisje heeft er kennelijk geen idee van wat haar te wachten staat, maar die man moet toch inzien dat ze hier diep ongelukkig zal worden, ook al kent hij Demba niet, zoals Munengo hem kent.

De ontstemming verspreidt zich vliegensvlug door heel het dorp. Demba maakt ruzie met zijn vrienden. De twee vrouwen van Benga kibbelen over een peperplant, Ngosolongo tuigt zijn zwangere jonge echtgenote af om een kleinigheid en de kleine Fodé krijgt er van zijn moeder van langs, omdat hij de lange witte man heeft nagedaan.

8

Aan het eind van de middag zitten de witte mensen bij elkaar in de mannenwoning en, hoewel ze niet zo ontvankelijk zijn voor het gemeenschapsgevoel als de leden van een stam, ontstaat ook daar een geprikkelde stemming.

Engelbert en Frits willen alles horen over het maanfeest, maar het verslag erover komt niet op gang.

'Er is niet veel van te vertellen,' zegt Rozemarie.

'Toen ik je vanochtend tegenkwam, leek het anders of er heel wat te vertellen zou zijn,' zegt Engelbert.

'Het was een heerlijk feest,' zegt Lydia.

'Ze hadden maskers op,' vertelt Door, 'grote koppen.'

'Maskers?' zegt Lies, 'O ja, al die spoken.'

Frits vraagt: 'Jij hebt iets met maskers, Rozemarie, waren ze mooi?'

'Ik weet het eigenlijk niet.'

'Ze heeft gedanst, Frits, constant gedanst, de hele nacht door.'

Rozemarie kijkt ongelovig. 'Weet je dat zeker?' Haar herinnering aan het feest is erg vaag.

'Jullie zijn bedwelmd,' zegt Engelbert, 'nu nog. Het bevalt me helemaal niet.'

Ook Frits maakt zich ongerust. Dit lijkt niets op de gevolgen van alcohol. Ze doen zo vreemd en ze praten zo langzaam. Wat hebben die mensen onze vrouwen aangedaan?

'Het gaat jullie niets aan,' zegt Door. 'Het was een vrouwenfeest.'

Lydia zegt: 'Ik zou het best aan jullie willen vertonen, die enorme boom en dat vuur. Misschien liggen er nog wel van die maskers ook, maar het mag niet. We mogen het bos niet in. We kunnen niet eens terug om onze schoenen te halen.'

'Dat is idioot.'

'Luister eens,' zegt Engelbert,' ik krijg de indruk dat er problemen ontstaan. We zijn hier nu bijna twee weken. Tot nu toe is alles goed gegaan, maar we zijn het dorp niet uit geweest. Afrika is groter dan Womg'bumi alleen. Ik stel voor morgen te vertrekken. Dan hebben we nog een paar dagen in Oudougoangi of in Sougouni en we zijn in elk geval op tijd daar. Die reis met taxi's kan wel eens tegenvallen. Wat vinden jullie daarvan?'

'Goed idee,' zegt Lies, 'ik heb er niets op tegen om morgen al te vertrekken.'

'Ik wel,' zegt Frits, 'Ik ben vanochtend bij de oude heer op visite geweest. Wat hij nou eigenlijk wilde, heb ik niet begrepen, maar hij vertelde dat ze een ceremonie gaan houden. Het lijkt me uniek om dat mee te maken.'

'Wat voor een ceremonie?' vraagt Door.

'Een bruiloft, denk ik,' zegt Engelbert, 'er worden nieuwe trommels voor gemaakt. Dat hebben Johannes en ik juist vanmorgen gehoord. Maar dat kan nog wel een paar weken duren.'

'Ik heb begrepen dat het binnenkort zou gebeuren,' zegt Frits.

'Binnenkort... Ik geloof dat het tijdsbesef van meneer Ngunza niet helemaal overeenkomt met dat van ons.'

'Laten we maar gaan,' zegt Rozemarie, 'Ik vind het een goed plan, Engelbert. We hebben het hier nu wel bekeken.'

Evelien heeft met een afwezige uitdrukking in haar gezicht zitten kijken hoe Lies telkens weer een zware blauwe vlieg van zich afjaagt. Nu richt ze met moeite haar aandacht op het gesprek.

'Ik ga niet mee,' zegt Evelien.

'O niet? Wil jij in je eentje over drie dagen nakomen?'

'Ik ga ook niet over drie dagen, ik wil hier niet meer weg.'

'Evelien..!'

'Demba en ik houden van elkaar. Ik ga met hem trouwen.'

'Dat kun je niet doen,' zegt Rozemarie, 'Je bent gek.'

'Ja een beetje, maar dat kan me niets schelen. En wat jullie ervan vinden kan me ook niet schelen. Ik doe het toch.'

Rozemarie is ontzet. 'Je beseft niet wat je jezelf aandoet, als je... Evelien, het gebeurt niet. Al moet ik je vastbinden en op mijn rug meedragen, je blijft hier niet.'

Evelien haalt haar schouders op.

'Demba is sterker dan jij.'

'Het is absurd, Evelien,' zegt Frits. 'Je hebt toch gezien hoe de vrouwen hier leven. Almaar door werken en kinderen baren. Op hun veertigste jaar zijn ze versleten.'

'Je denkt dat wij het zoveel beter hebben. Dat is niet waar. Het is alleen maar anders. Hier zijn ze altijd vrolijk en ze zijn nooit alleen. Bij ons ben je altijd alleen.'

Nu is het even stil. Dan zegt Johannes opeens:

'Als jij met Demba trouwt, zitten wij straks met veertig geiten. Dat is ook wat.'

'Wat bedoel je?'

'Demba moet veertig geiten betalen voor zijn bruid. Dat heb ik vanochtend gehoord. En Bapo maakt een nieuwe trommel voor Demba's bruiloft.'

'Ja,' zegt Engelbert, 'dat zei hij. Alles is dus al geregeld. Ik geloof dat het inderdaad het beste is dat we zo gauw mogelijk weggaan, anders raken we Lydia ook nog kwijt.'

'Dat worden dan tachtig geiten,' giechelt Rozemarie, 'sorry hoor. Maar ik kan het niet serieus opvatten. Dit is te dwaas.'

Evelien, diep gekwetst, loopt weg.

Frits zegt: 'Dus daarom moest ik vanochtend bij die ouwe... De vader van Munengo en Demba heeft me zitten uithoren over familie en gewoonten. Ik kon er geen touw aan vastknopen. Maar over geiten heeft hij het niet gehad.'

'Wat kunnen we er aan doen?' zegt Door. 'Ze meent het.'

'Inpakken en wegwezen.'

'Ja Engelbert, ik geloof dat je gelijk hebt,' zegt Frits.

Evelien heeft bij de dag geleefd en van alles genoten. Dat wil ze zo houden, maar ze is wel geschrokken van de commotie die ze heeft teweeggebracht en ook van zichzelf. Ze wil hier blijven, o ja, maar aan de consequenties heeft ze niet gedacht. Als, als ze later weg zou willen, al is het maar voor een bezoek aan haar ouders, hoe moet dat dan? Misschien heeft ze het besluit toch een beetje al te vlug genomen. Langzaam loopt ze in de richting van het bos.

Even voor het vrouwenverblijf haalt Lydia haar in.

'Niet daarheen, Evelien. Daar is het verboden bos. Zullen we een poosje naar het water gaan?' Evelien loopt gehoorzaam mee.

Lydia is ook van de vergadering weggelopen. Het overleg, wanneer en hoe ze zullen vertrekken, laat ze graag aan de anderen over. Eerst Evelien.

'Bij ons ben je altijd alleen', heeft ze gezegd. Lydia wil haar laten merken dat het niet waar is. Maar Evelien is erg ontoegankelijk. Hoe moet ze dat doorbreken? En hoe moet ze haar zeggen, wat ze vermoedt na de mededeling over de veertig geiten: dat Demba op het punt staat met iemand anders te trouwen. Ndumbe heeft het haar willen vertellen, maar Lydia verstaat nu eenmaal zo goed als geen Frans. Pas nu na de onthullingen van Johannes en Engelbert begrijpt ze wat Ndumbe probeerde te zeggen.

Stil lopen ze over het waterhaalpaadje, achter elkaar, omdat het zo smal is.

'Onbegrijpelijk eigenlijk,' zegt Lydia, 'in een simpel karretje met twee wielen zou in een keer al het water gehaald kunnen worden waar tien vrouwen mee sjouwen.'

Evelien zegt niets.

In een warrelige schaduw gaan ze zitten op een warme steen. Het klotsende beekje geeft alleen de illusie van frisheid. Ook hier is het zinderend heet. En onrustig.

Hoe is het mogelijk? denkt Lydia, ik heb het hier altijd zo vredig en koel gevonden. En nu vind ik dat gejakker van die bubbels en bellen storend. Ze wordt er opstandig van. Vandaag zit alles verkeerd.

'Evelien, je bent niet alleen. Er zijn zoveel mensen die van je houden.'

'Ook goed. Dan ben ik gewoon gek.'

'Zou dat over gaan, als je in de rij moet lopen met zo'n zware pot op je hoofd?'

Evelien blijft dromerig naar het water kijken. Wevervogels vliegen ijverig rond. Een soort ekster laat zijn wieken draaien als een kermismolentje en een onwaarschijnlijk grote kever landt ronkend op een steen. Twee hagedissen flitsen met plastickleurtjes.

Lydia zwoegt verder: 'Het is wel een machtig mooi land.' Evelien kijkt heel even Lydia aan. 'Ik begrijp het wel, hoor Evelien. De rust en de eenvoud zijn erg aantrekkelijk en de zon maakt het allemaal nog mooier. Maar je kunt het niet een poosje proberen. Als je nu hier blijft en je zou er later anders over gaan denken, dan is er niets meer aan te doen.'

'Ik weet het. Ik wil al niet meer blijven.'

'O. Gelukkig.'

'Het is niet gelukkig, hoor Lydia. Het is juist heel erg ongelukkig. Ik kan het niet overzien. Daarom durf ik het nu niet door te zetten. Maar ik weet heel goed wat ik wil. Ik wil altijd buiten zijn en niet in een duf huis wonen. Ik kan niet tegen regen en donkere luchten. Daar voel ik me altijd ongelukkig van en opschieten, plannen maken, doorzetten, dat kan ik ook niet. Maar ik vind het helemaal niet erg als ik hard moet werken.

En natuurlijk wil ik Demba. Biologisch wil ik dat, hà. Ik geloof eigenlijk dat het allemaal biologisch is. Dichtbij de aarde zijn. Wat is daar eigenlijk verkeerd aan?'

'Niets, alleen, het is maar een kant van de zaak en er zijn zoveel meer kanten. Wat verkeerd is, dat is dwang en onoprechtheid. ' Ze wacht even. 'Demba heeft jou bedrogen.'

'Hoe kom je daarbij?'

'Door de ontdekking van Jootje. Hij versiert jou en tegelijk is hij bezig met een andere vrouw.'

'Dat is hier heel gewoon.'

'Gewoon? Kun jij dat dan verdragen?'

'Demba zegt,' Evelien voelt zich opeens onzeker. Zoals het onherroepelijke van haar besluit pas duidelijk werd door de reactie van het gezelschap, ziet ze nu plotseling de verhouding met Demba in een ander perspectief.

'Demba zegt, dat ik een eigen plaats bij hem heb. Hij zegt,' het klinkt alsof ze het uit een boekje voorleest, 'dat ik niet al het werk zal kunnen, wat er van me verwacht wordt. Ik moet dat met iemand samen doen om het te leren.'

'Evelien, hij koopt vrouwen als vee. Ik vind dat afgrijselijk. Ik kan gewoon niet aannemen, dat je zoiets kunt accepteren.'

'Ik ben abnormaal. Dat weet ik zo langzamerhand wel.'

'Abnormaal is niet het goede woord.' Lydia staat op.

'In de eerste plaats ben je verliefd. En bovendien, het land heeft je te pakken. Dat is veel normaler dan er van buiten tegenaan kijken en niet mee willen doen. Ik vind jou in sommige opzichten geweldig, echt waar. En toch denk ik dat je eraan kapot zou gaan. Inpakken en wegwezen, zei Frits. Kom mee Evelien.'

Evelien gaat mee als een houten pop.

Frits gaat Munengo opzoeken.

'Is het mogelijk dat we morgen vertrekken?'

'Het is mogelijk.' Munengo vraagt geen uitleg, dat valt mee.

'We zullen vroeg opstaan. Dat is het beste. Ik hoop, Munengo, dat je ons een eindje op weg helpt. Vooral het eerste deel van de reis door het bos.'

'Ik ga zeker met jullie mee.'

'Munengo, er is nog iets. Evelien kan hier niet blijven. Ik heb het verboden. Ik ben verantwoordelijk voor haar.'

'Dat is goed.'

Klinkt dat opgelucht? Frits is er niet zeker van.

Na het avondeten gaat hij met Munengo en Engelbert naar de oude Ngunza om hem te bedanken en de laatste geschenken te overhandigen. Ngunza begrijpt er niets van.

'Gaan jullie werkelijk weg? Nu al? Maar dat kan toch niet. Yahi maakt al voorbereidingen voor de ceremonie. Blijft de jonge vrouw?'

Ngunza kan er niet aan wennen dat ze hem niet verstaan. Hij durft Munengo niets in zijn eigen taal te vragen, waar ze bij zijn. Als die hem uitlegt dat de gasten echt weggaan, allemaal, raakt hij helemaal in verwarring. Dat kan toch niet zo plotseling. Hij moet nu ook geschenken geven, maar hij is er nog niet mee klaar. Waarom heeft Munengo het niet eerder gezegd?

Hij begint in wanhoop zijn gebruikelijke redevoering af te steken. Broederschap tussen de verre landen, ik wens jullie veel regen, en mogen de voorouders jullie altijd en overal begeleiden. Het verhaal wordt lang gerekt en dan begint hij opnieuw, want een oplossing voor zijn problemen heeft zich niet voorgedaan.

Eindelijk weet Munengo hem te overtuigen dat het nu echt genoeg is. En dat de gasten meer dan tevreden zijn.

Evelien is net als iedere avond stilletjes naar buiten gegaan en Rozemarie maakt zich ongerust, hoewel Lydia probeert haar te overtuigen dat Evelien is omgezwaaid.

'Ze zei: 'Ik wil al niet meer blijven. Echt waar.'

'Ze kan ieder ogenblik van gedachten veranderen, maar het ergste is dat ze helemaal niet denkt. Ze weet niet wat ze doet. We moeten haar gaan zoeken. Waar is een lamp.'

'Maar ze gaat toch elke avond naar buiten,' zegt Door.

'Ze was vanmiddag al niet normaal, toen ze zei dat ze blijven wilde. En nu: ze had weer dat uitdrukkingsloze gezicht. Het ene moment zit ze wezenloos voor zich uit te staren en een seconde later is ze weg. Ik ben bang dat ze niet terugkomt.'

'Overdrijf niet zo,' zegt Lydia, 'Ze mag toch wel afscheid nemen van die jongen.'

'Ze is zo makkelijk te beinvloeden. Straks moeten we van voren af aan beginnen.'

'Nou, dan doen we dat toch.'

Er is niets tegen in te brengen, maar Rozemarie blijft doodongerust. Wilde veronderstellingen komen bij haar op, waarvan ze zelf weet dat ze onwaarschijnlijk en ongegrond zijn. 'Ze zullen haar een of ander drankje geven. Misschien ligt ze bedwelmd in zo'n hut. O, wat een afschuwelijk volk. Ze kunnen haar ontvoeren. En wat beginnen we dan hier in de rimboe?'

Haar angst heeft geen ander effect dan een groeiende onbehaaglijkheid bij het gezelschap.

Johannes komt het eerste overeind. 'Ik ga een wandelingetje maken. Als er verdachte dingen gebeuren, zal ik jullie waarschuwen.'

'Wacht even, Jo, dan ga ik mee.' Lydia schiet gauw haar sandalen aan. 'Onze laatste nacht. Ik moet nog even naar al die sterren kijken.'

Tenslotte gaan ze allemaal naar buiten, want misschien zullen ze dit nooit weer meemaken. Rijen ronde huisjes vangen nog wat op van het geheimzinnige rode licht uit dovende vuurtjes. Zachte stemmen murmelen achter de gevlochten wanden en een kindje huilt. Een zwarte schaduw loopt voorbij op blote voeten en zegt iets vrolijks. Stille hoge bomen staan het allemaal te beschermen, een statische vorm van leven tussen het kleine gedoe van de mensjes en de onbarmhartig grote sterrenlucht. Zo verschrikkelijk veel glinsterende spikkeltjes die niet bewegen en ook niet stilstaan, en die zo onmiskenbaar eindeloos en eeuwig zijn.

Lydia maakt met Johannes een wandeling door het dorp tot ze alle huisjes in stilte hebben goedendag gezegd. Als ze terugkomen zijn Frits en Engelbert er weer en Rozemarie is schijnbaar gekalmeerd.

'Ik ga slapen,' zegt Engelbert.

'Ik niet,' zegt Rozemarie.

Een voor een gaan ze allemaal naar binnen, alleen Frits blijft bij haar, tot eindelijk Evelien door haar vriendje wordt thuisgebracht.

'Net als wij vroeger,' zegt Frits, 'Weet je het nog?'

Rozemarie voelt een steek in haar hart.

'Wij vroeger. O Frits, het is zo anders. Waarom neemt ze niet een lieve Hollandse jongen zoals jij. Wat zoekt ze bij zo'n onbehouwen wilde?'

'Ik denk, juist dat wilde,' zegt Frits. 'Ga nou maar naar binnen. Laat ze even.'

Frits en Rozemarie gaan ieder in hun eigen huis. Net als vroeger. En Evelien neemt afscheid van Demba. Voorlopig, ze is niet echt omgezwaaid. Lydia en die anderen maken haar onzeker, maar haar besluit staat vast. Alleen, de beslissing om nu al te blijven was wat al te impulsief, maar ze komt zo gauw mogelijk terug.

'Ik beloof het, Demba, ik kom bij je zo gauw ik kan.'

Demba neemt intussen vast een vrouw van zijn stam. Dat hoort nu eenmaal zo, maar hij houdt het meeste van Evelien, altijd.

In de vroege ochtend staan ze klaar om te vertrekken. Ngunza heeft met behulp van Munengo een aantal geschenken bij elkaar gescharreld.

Speren en knotsen voor de mannen. Die hebben ze zelf niet meer zo hard nodig. Vechten is er helaas niet meer bij tegenwoordig. De vrouwen krijgen tassen en armbanden. Alleen voor Jootje is er iets heel bijzonders. Hij krijgt een prachtige trommel mee naar huis.

Het is een verrassing dat deze keer niet de kleine jongens meegaan om de bagage te dragen, maar de veertien vrienden uit Tirol. Onderweg wordt weinig gepraat. Wat moeten ze nog zeggen? Toch is het saamhorigheidsgevoel, dat de vorige dag zo verstoord was, weer hersteld.

In Mwaka hebben ze één pick-up. De eigenaar wil er wel mee naar Mbongue rijden. In de laadbak kunnen ze op hun koffers zitten. Behalve Munengo gaat ook Laièn mee tot Mbomgue. Daar is dan weer het hotel dat enigszins aan Europese behoeften kan voldoen. Ze willen er in elk geval een nacht blijven en dan:

'Munengo, is er in de buurt iets interessants te zien? Kunnen we morgen een tocht maken?'

'Hier niet,' zegt Munengo, 'maar wel in Oudougoangi. Daar ben ik gids. We kunnen de bergen in. We kunnen rhino's gaan zien en olifanten in een wildpark. En de markt, veel Europeanen gaan naar de markt.'

Na de trage dagen in Womg'bumi lijkt het leven van een toerist een actieve bezigheid, ook al worden ze in taxi's naar alle evenementen toe gereden. Er moeten souvenirs gekocht worden voor de mensen thuis. Ze maken kleine wandelingetjes in de zon. Zweet en inspanning.

'Wat wen je gauw aan dat luie leven,' zegt Door. 'Ik begon bijna mijn huis te vergeten. 'Hoe zou het met de kippen zijn?'

Nog drie dagen, dan zijn ze weer thuis: Rozemarie bij haar kinderen, Lydia naar het kantoor en de bakkerij, Johannes kan gaan drummen op zijn zolderkamertje en Lies moet meteen weer naar school.

Engelbert begint te denken aan het verslag dat hij voor zijn krantje zal schrijven. Evelien denkt nog maar liever niet aan wat ze zal gaan doen. Frits denkt nog niet aan zijn patienten.

9

Regen slaat tegen de glazen buitenkant van Schiphol. De kou prikkelt. 'De lucht voelt aan als spuitwater,' zegt Lydia, 'In Womg'bumi liepen we in stroop.'

Erica haalt haar familie af. Ze heeft in haar glimmende flatje vol glas en zwarte lak een lunch klaargezet en daarna zal ze Frits en Rozemarie naar Echel rijden. Evelien gaat liever nog niet direct naar Zeeland. Ze belt naar huis, gelukkig is het pappie die opneemt: 'We zijn er weer.- Ja, heerlijk gehad.- Het weer?- Daar is het altijd mooi weer.- Nee, morgen nog niet. Ik blijf eerst een paar dagen bij Erica. Dag, groeten aan mammie.'

En wat nu? Alleen in Erica's kamer kijkt ze besluiteloos om zich heen. Wat moet ze het eerste doen? De films wegbrengen, foto's van Demba en ja, iets lekkers kopen voor bij het eten vanavond? Hoe laat komt Erica eigenlijk terug of blijft ze in Echel eten? Daar hebben ze het helemaal niet over gehad.

Maar nu die koude stad in gaan? Nee, eerst een warme douche na die kleverige reis. Warme douche. Rugzak ondersteboven. Waar zit de shampoo? Al haar kleren zijn klam. Akelig oncomfortabel Holland. Ze moet straks maar iets van Erica aantrekken. Zorgvuldig legt ze haar gri-gri op het bureau, een fijn snoertje kralen met veertjes en een zacht leren zakje. Ze moet het altijd dragen, heeft Demba gezegd, en dat doet ze. Alleen niet in bad.

Demba. Ze weet heel goed dat hun verliefdheid niet eeuwig duurt, zeker niet bij hem maar ook niet bij haarzelf. Waarom is ze zo abnormaal dat ze ondanks alles toch zo verlangt naar het simpele leven in dat dorpje en het losse gemak van de tropische warmte: geen slot op de deur en nooit meer een regenjas. En geen klok. Maar goed, zonder geld, zonder mogelijkheid om dat toch wel gevaarlijke land te verlaten als het nodig zou zijn, kan ze niet gaan. Ze hebben allemaal gelijk.

Na het bad heeft Evelien nog geen zin om de stad in te gaan. Ze bladert in tijdschriften, pakt een boek uit de kast en zet het weer terug en ze gaat zitten wachten tot Erica thuiskomt met drie bakjes ophaaleten van de Griek. Het is dan half acht.

Erica heeft onderweg naar Echel natuurlijk alles gehoord van de avonturen in het Afrikaanse dorp, maar ze heeft wat meer begrip voor haar kleine zusje dan Rozemarie. Als Evelien zo graag een zwarte man wil, mag ze wat haar betreft haar gang gaan. Wil ze naar Afrika? Moet ze doen, Erica zal haar wel helpen. Na het eten begint ze er tot grote opluchting van Evelien zonder omhaal over te praten.

'Jij wilt weer terug, hè? Rozemarie heeft me het een en ander verteld. Heb je al een plan?'

'Eigenlijk niet. Ik moet aan geld zien te komen, maar hoe? Geen idee. Op pappie hoef ik nu niet meer te rekenen en sparen is nou eenmaal niet mijn sterkste punt. Weer een zomer serveren in Zonneduin trekt me niet aan en als ik dat al zou gaan doen, heb ik nog lang niet genoeg. Misschien moet ik vrijwilligerswerk gaan doen, maar wat? Ik ben bang dat ik daar helemaal niet geschikt voor ben. En waar kom je terecht, Afrika is zo groot. O Erica, het is zo moeilijk '

'Je zou kunnen gaan solliciteren bij een reisvereniging.'

'Denk je dat? Maar ik heb geen enkel diploma.'

'Je ziet er goed uit en je spreekt heel aardig Frans. Dat maakt indruk en die mensen geven cursussen op maat.'

'O ja? Maar...'

'Weet je Evelien, je krijgt misschien niet de beste baan, maar je verdient tenminste iets. Je kunt alleen maar daarheen gaan, als je een zekere zelfstandigheid hebt.'

'Ja, dat is misschien wel zo. Dan moet ik dus solliciteren, brieven gaan schrijven. Zou dat erg lang duren?'

'Een paar maanden als het meezit.'

'Een paar maanden in Smokkelersgat? Dat wil ik niet. Ik kan daar niks.'

Erica heeft ook daar een oplossing voor. Misschien. Ze heeft een vriendin die misschien voor drie maanden naar Amerika gaat. En als het doorgaat, mag Evelien misschien wel zolang in haar kamers wonen.

'En als dat niet lukt, bedenken we wat anders. Het komt allemaal goed,' belooft Erica.

Een beetje getroost maar zonder veel hoop gaat Evelien een bed maken op de bank voor het raam. Regen slaat tegen de ruiten en beneden raast de stad.

Het gaat door: de vriendin vertrekt naar Amerika en Evelien krijgt zolang haar kamer. Ze staat laat op net als thuis, ze drentelt door de stad en schrijft brieven naar reisbureaus. Intussen hoopt in het appartementje de rommel zich op, hoe ze ook haar best doet netjes te zijn.

Ze zit er middenin op de grond. Daar gaat de bel. Drie keer, het is voor haar. Wie zou dat kunnen zijn? Ze schuift alles aan de kant en komt overeind. Het is Erica.

'Kom maar boven.' Zou ze het erg vinden, die puinhoop in de kamer van haar vriendin?

Erica heeft wel eens een grotere chaos gezien en ze had ook niets anders verwacht.

'Ik kom de boel inspecteren. Instructies van mammie. Eet je wel op tijd? Ga je niet te laat naar bed?'

'Ik red me best,' zegt Evelien.

'Dat dacht ik wel. Kom je vanavond bij mij eten?'

'O ja, graag. Ik alleen, of geef je een feest?'

'Jij alleen, maar ik maak er wel een feest van.'

Evelien vergeet wel eens te eten. Dat hoeft ze niet te vertellen, Erica vindt dat gelukkig niet abnormaal. Evelien doet erg haar best normaal te zijn en ze vindt dat het aardig lukt, maar natuurlijk niet op de manier van mammie en Rozemarie.

'Zal ik... Wil je iets hebben? Thee of zo?'

'Nee hoor. Je bent druk, zie ik. Vanavond hebben we tijd om te praten. Kom niet te laat.' En weg is ze alweer.

Evelien gaat terug naar haar bergje rommel op de grond. Heeft ze het druk? Wat deed ze eigenlijk? Stapeltjes maken van dingen die eerst op andere stapeltjes lagen, papieren dingen, niks. Vanavond, Erica maakt er een feest van. Ik moet een fles wijn gaan kopen. Nu. Anders denk ik er niet meer aan. Waar is mijn jack? Een tas, geld.

Even later wandelt Evelien door de stad. Waar zat ook weer die wijnboer? Een broodjeswinkel, een boutique.

Een vreemde vrouw komt opeens op haar af.

'Hallo Evelien.'

Ze kent het mens niet. Ja toch, het is Door. Wat is die in korte tijd veranderd. Ze heeft een stuk van haar haar afgeknipt en het hangt los. Ze is overdadig opgemaakt. Door op haar stads.

'Wat leuk, Door. Hoe is het in Echel?'

'Geen idee,' zegt Door, 'ik ben Echel ontvlucht.'

'Ja, dat is misschien wel eens nodig.'

Door aarzelt even. 'Wil je een kop koffie, Evelien? Of iets anders. Heb je tijd?'

Evelien heeft alle tijd. Ze is ook nieuwsgierig. Wat is er met Door? Door begint meteen te vertellen.

'Ik ben gewoon weggelopen. Toen we thuiskwamen na de reis, stond alles me tegen. Het eindeloze werk in dat rothuis, de stomme kippen en die boontjes en andijvie en de honderdduizend paardebloemen in de tuin. Ik heb het zeventien jaar gedaan en ik doe het nooit meer. Ik wil nog een poosje leven.'

'Maar Door, wat zegt Engelbert?'

'Ik heb hem nog niet gesproken.'

'En je hebt ook een zoon.'

'Ik mis ze wel, hoor. Maar ik denk niet dat ze mij missen, hoogstens als er een knoop van hun jasje springt. Ja, we moeten natuurlijk een regeling treffen, zoals dat heet. Ik denk, dat ik dat nu nog niet aan kan.'

'Zeventien jaar,' zegt Evelien.

Door lacht een beetje wrang. 'Je weet niet, hoe blij ik ben dat ik je tegenkwam. Hoe is het eigenlijk met jou, Evelien? Dat heb ik nog niet eens gevraagd. Studeer je?'

Evelien moet even nadenken. Kan ze vertellen wat ze van plan is? Zou Door het begrijpen? Zij was ook verrukt van Afrika en Rozemarie spreekt ze nu niet meer. Er is dus geen gevaar dat het mammie ter ore komt.

'Nee, ik zoek werk. Tegen jou kan ik het wel zeggen, als je toch niet naar Echel gaat voorlopig. Want het is niet de bedoeling dat iemand daar ervan hoort. Ik wil eerst alles in orde hebben. Ik zoek een baan als reisleidster. Ik wil nog steeds naar Afrika.'

'Zo.'

'Het lukt wel, hoor. Mijn Frans is goed en mijn andere talen redelijk. Ik heb Demba beloofd dat ik terugkom en ik doe het ook.'

'Terug naar Womg'bumi?'

Evelien knikt. 'Terug naar Womg'bumi, naar een schamel hutje en een zware ijzeren pot op het vuur, naar het riviertje met een kalebas op mijn kop en met volle maan mezelf dronken drinken in het bos.'

Door is even sprakeloos.

'Dat had ik nooit gedacht, Evelien. Ik dacht dat je het van hieruit heel anders zou zien.'

'Iedereen zal het idioot vinden, dat weet ik allang. Allemaal vooroordelen.'

'Ze doen enge dingen met vrouwen. Ik heb het van henzelf gehoord.'

'Zé doen, zé zijn, we weten het hier zo goed. Allemaal vooroordelen. Hier gebeuren weer andere enge dingen, maar daar zijn we aan gewend. Ik vond het er verrukkelijk. Hier heb ik het altijd koud en ik voel me verlaten. Maar het kan natuurlijk best dat ik ook wegloop na zeventien jaar. Wie weet?'

Evelien lacht onbezorgd. Ze drinken nog een kop koffie. Daarna gaan ze allebei diep in gedachten naar huis. Door logeert bij een oom die helemaal alleen in een groot oud huis woont.

Evelien wandelt naar de geleende kamer van Erica's vriendin. Ze vergeet wijn te kopen.

Erica heeft een overvloed van kleine exclusieve hapjes op haar zwarte tafel uitgestald.

'Dit is een wereldreis,' zegt Erica. Ze wijst: 'Mexico, Frankrijk, Japan, Rusland en Maroc. O ja en die vis komt van de Cariben.'

'Waar is Afrika?'

'Marocco toch.'

'Dat is niet echt Afrika. Maar ik bedoel het niet onaardig. Het is overweldigend.'

'Dat is niet de bedoeling. Het moeten juist lichte hapjes zijn.'

'Je bent een engel, Erica.'

Evelien proeft van de lichte hapjes. Ze nestelt zich in de diepste stoel en voelt zich behaaglijk.

'Weet je wie ik vanmiddag tegenkwam? Door.'

'Wie is Door?'

'Door Winsloo uit Echel. Ze was mee met de reis.'

'O die? Ik heb haar nooit gezien, maar ik weet wie Engelbert is.'

'Ze is weg bij Engelbert.'

'Dat komt meer voor.'

'Na zeventien jaar.'

Erica denkt: wat kan het Evelien in 's hemelsnaam schelen, hoe lang ene Door het uithoudt bij zo'n achterhoekse slungel? Ze schenkt de glazen bij.

'Door en Engelbert waren met ons in Womg'bumi. Het was zo'n ouderwets degelijk stel en nu loopt ze hier in de stad met een volkomen nieuw uiterlijk. Ze kon de tuin en het grote huis niet meer aan.'

'Gelijk heeft ze. Ik snap al niet hoe Rozemarie het volhoudt. Saai hoor, zo'n dorp.'

Het eten is lekker, het is heerlijk warm in Erica's flat. Ze hebben het best gezellig, maar tot een gesprek komt het niet en als Evelien naar huis gaat, voelt ze zich nog net zo alleen als toen ze kwam. Erica ruimt de lege schaaltjes op. Ze heeft zo haar best gedaan, maar die Evelien... Er is niet doorheen te komen.

10

In Echel is Frits alweer aan de dagelijkse routine gewend. Hij begint aan zijn spreekuur en bekijkt het lijstje met afspraken. Het zijn weer bijna allemaal vrouwen. Hij ziet tot zijn verbazing dat Lies erop staat. Ze is nooit ziek.

'Waarom heb je juffrouw Liefferink een dubbele tijd gegeven?' vraagt hij aan zijn assisitente.

'Ze was zo ongerust en opgewonden. Ik dacht dat er misschien lang gepraat moest worden.'

'Goed. Ik zet me schrap.'

Hij drukt op het knopje van de bel. Eerste patient.

Lies ziet er niet ongerust of opgewonden uit, maar een beetje saai, zoals altijd. Ze heeft moeite niet te laten blijken, hoe moeilijk ze het vindt nu als patiënt tegenover hem te zitten. Frits schakelt vlot over naar zijn doktersrol.

'Dag Lies, kan ik je ergens mee helpen?'

'Er is zoiets raars, Frits.'

Frits wacht af.

'Ik ben iets kwijtgeraakt.'

'Ja?'

'Het was... het zag eruit als een ei. Een week roze ei en ik ben me lam geschrokken.'

'Dat kan ik me voorstellen. Hoe ben je dat ei kwijtgeraakt?'

'In de wc.'

'Ik bedoel: zat het bij de ontlasting of...'

'Nee nee, helemaal niet. Ik had ongesteld moeten worden, maar het kwam niet. Pas drie dagen later gebeurde het. Maar het kan niet een abortus geweest zijn. Onmogelijk. Ik... Ik heb me vreselijk ongerust gemaakt. Frits, wat kan het zijn?'

'Heb je het nog, dat ei?'

'Nee natuurlijk niet.'

'O jammer. Ik had het kunnen nakijken. Heb je pijn gehad? Veel bloed verloren?'

'Helemaal niets.'

'Niets? Hoe groot was dat ding?'

'Een ei, eigenlijk was het wel tamelijk groot voor een ei.'

Frits Brunel kent het verschijnsel niet. Drie dagen over tijd en dan zo'n ding. Merkwaardig. Tijdens het onderzoek is ze erg gespannen, hij voelt niets ongewoons in haar buik.

'Denk je dat het iets te maken kan hebben met onze reis naar Afrika?' vraagt ze.

'Ik kan het me nauwelijks voorstellen, maar ik wil er wel een tropenarts over raadplegen. Aan de andere kant: Lies, je bent jong en gezond. Voorlopig is er geen enkele reden om bezorgd te zijn. Wacht het even af. Je kunt een afspraak maken voor over een dag of tien. Tenzij je meer eieren kwijtraakt natuurlijk. En die moet je dan niet wegspoelen, maar meteen hier brengen.'

'Ja. Dankjewel, Frits.'

Juffrouw Liefferink heeft de dubbele tijd niet nodig gehad. Een ei! Raar mens.

Frits gaat verder met zijn spreekuur. Hoofdpijn, buikpijn, rugpijn, totdat Lydia Vedders binnenkomt.

'Hai Frits.'

Die zit er in elk geval onbekommerd uit, gelukkig.

'Ik kom maar voor de zekerheid,' begint ze, 'Weet je, ik heb een miskraam gehad en ik wil weten of ik er nu van af ben. Het kwam in een keer, ploep, naar buiten. Ik was nergens op verdacht, maar ik weet natuurlijk niet of het alles is geweest.'

'Heb je het meegebracht, Lydia?'

'Nee, toen ik het merkte, trok ik al door. Ik heb het nauwelijks gezien. Het was ongeveer zo groot.'

'Zoals een ei.'

'Ja, maar er was geen bloed bij. Ik dacht altijd dat er nogal wat ongemak te pas kwam bij een miskraam, maar het stelde niks voor.'

'Had je pijn?'

'Helemaal niet.'

'Een miskraam zeg je. Wist je dat je zwanger was?'

'Nou, het kan je altijd overkomen natuurlijk. Maar een zwart kind zou ik sowieso niet willen hebben, dus daarom wil ik echt wel zeker weten dat het er helemaal uit is.'

'We zullen een proef doen voor de zekerheid.'

Lies en Lydia,wat is er gebeurd met die vrouwen?

Meteen na het spreekuur zoekt Frits zijn eigen vrouw op. Ze is bezig in de keuken.

'Rozemarie?'

'Ja, is er iets, Frits? Wat kijk je ontdaan.'

'O, nou ja. Ik had een merkwaardig spreekuur vanochtend. En ik vraag me af, Rozemarie, wanneer ben jij voor het laatst ongesteld geweest?'

Rozemarie heeft een klein lachje.

'Dat is deze keer op een andere manier gegaan. Ik heb het voor je bewaard.'

'Dus jij ook al. Rozemarie, wat is er gebeurd toen in dat bos? Wat hebben die zwarte kerels met jullie gedaan? Zijn jullie allemaal verkracht?'

'Welnee Frits, er was daar geen enkele man. We waren een beetje dronken, maar... nee echt niet.'

'Jullie wisten niets meer na die nacht.'

'Als er zoiets was gebeurd, had ik het geweten. En wat dit is, weet ik niet, maar zeker geen embryo. Het was helemaal doorschijnend. Moet je kijken, wat mooi.'

Rozemarie haalt een jampot uit de koelkast.

Frits laat het licht erdoorheen schijnen. Hij ziet een roze en wit gemarmerd voorwerp. Nee, het is geen foetus, een soort kwal of toch meer een ei?

'Dus dat is het,' zegt Frits, 'ik ben blij dat je het bewaard hebt. Waarom heb je me dat niet verteld?'

'Nog geen kans gehad. Het is wel een sublieme uitvinding, vind je niet? Eerst was het heel soepel, maar het werd al gauw stijf en nu is het bijna hard.'

'Ben je er niet van geschrokken?'

'Nee hoor. Ik was er wel enigszins op voorbereid.'

'Zo.'

Frits gaat vermoeid aan de keukentafel zitten. Allerlei tegenstrijdige emoties vliegen door zijn hoofd. De verwarring over het rare verschijnsel, bewondering voor zijn Rozemarie die er zo laconiek over doet, toch ongerustheid: de vreemde toestand van de vrouwen na dat maanfeest. En ook een beetje schuldgevoel. Ze heeft nog geen kans gehad erover te praten. Hij is weer zo druk geweest met zijn eigen belangrijke werk en het normale contact met zijn vrouw is erbij ingeschoten.

Rozemarie zegt: 'Ik had het misschien moeten vertellen, maar ik wou eerst zien of het echt waar was. Door was al eens met een van die vrouwen over de menstruatie begonnen. Weet je niet meer dat we het er over gehad hebben? Dat die vrouw had gezegd: 'Wij hebben dat niet.' En dat wij dachten: ze zegt maar wat, want iedereen heeft het?

Nou, ik was net zo benieuwd als Door. Ze lopen allemaal rond met een paar losse sprieten om zich heen of in een dunne lap. Het is voor ons al zo'n geknoei en wij hebben toch allerlei practische voorzieningen. Ik heb toen ook met een van die vrouwen gepraat, Ndumbe, een heel vrolijk mens. Ze had een kindje van acht maanden. En die Ndumbe zei ook al: 'Wij hebben dat niet.'

Eerst wilde ze er niets meer over loslaten, maar uiteindelijk zei ze: 'In de nacht van volle maan hebben we een ritueel en daar krijgen we de medicijn. Wij verliezen geen bloed, maar we leggen een ei.' Nou, ik wist natuurlijk niet wat ze daarmee bedoelde, maar toen wij bij dat maanfeest waren, kregen we een soort wijn, een brouwsel van die oude heks, Yahi. Zij kent dus een middeltje waardoor het zo plezierig geregeld wordt. Alles komt tegelijk naar buiten in een dikke prop. '

'Door een brouwsel van dat enge mens? Dat lijkt me wel heel fantastisch.'

'Ja hè, zegt Rozemarie opgewekt, 'fantastisch, dat vind ik nou ook.' Ze pakt de jampot op en laat het roze ei erin heen en weer rollen.

'Je zou kunnen zeggen: dit is de mummie van het baarmoederslijmvlies, gekrompen en afgestoten zonder kramp of bloedverlies, heel clean. Wil je het hebben?'

'Natuurlijk,' zegt Frits, 'het moet op alle mogelijke manieren onderzocht worden, maar ik betwijfel of iemand er wijzer van wordt. Je had wat van die drank moeten meenemen.'

'Frits, ik weet nauwelijks dat ik ervan gedronken heb. Alleen Door is een klein beetje nuchter gebleven.'

Frits wil nu ook weten hoe het de andere vrouwen is vergaan. Hij telefoneert met Evelien.

'Een ei? Ja, nu je het zegt, daar leek het wel wat op. Ik was het eigenlijk alweer vergeten. Of ik het heb bewaard? Welnee, hoe kom je daar nou bij.'

Evelien weet nooit precies wanneer ze ongesteld moet worden. Ze is vaak over tijd, vijf, zes weken komt geregeld voor. Ze heeft inderdaad iets ongewoons in de wc gevonden en gedacht: het is weer zover, wat ziet het er raar uit. En ze trof de gebruikelijke voorzieningen. Later bleek dat het niet de menstruatie was geweest. Maar ze heeft zich niet ongerust gemaakt, want een kind van Demba krijgt ze niet.

Demba heeft zich strikt aan de voorschriften van zijn stam gehouden, want hij beschouwt zichzelf al helemaal als toekomstig opperhoofd. Jonge mannen mogen geen gemeenschap met een vrouw hebben, voordat ze zijn getrouwd. Bij hun afspraakjes in het donkere bos kon weliswaar niemand hen zien, maar wie zal zeggen, of niet de geesten van voorouders daar ronddwaalden. Zij zouden hem wel weten te vinden, als hij zich onwaardig gedroeg.

Maar wat er in de maannacht gebeurt telt niet mee, want dan zijn de geesten de baas. Wat was hij kwaad, toen hij hoorde dat zij ook op het feest heeft gedanst.

Goeie Demba met zijn bravour en zijn kinderlijke eerlijkheid, goeie Womg'bumi, waar de mensen zo eenvoudig leven volgens hun geloof. En stomme Rozemarie, stomme Frits en stomme iedereen die dat niet zien wil.

Frits belt ook de Winsloos. Eerst neemt niemand op. Dan krijgt hij Wieger.

'Nee, mijn moeder is niet thuis. Wanneer ze er weer is? Ik weet het niet. Ik zal u mijn vader wel even geven.'

Frits wacht.

Dan komt Engelbert: 'Eieren? O ja plenty, hoeveel wil je er hebben?' 'Door? Tja, dat is een beetje moeilijk. Ik weet niet waar ze is. Door is er vandoor.'

Het ei van Rozemarie wordt chemisch en biologisch nagekeken. Er komt een uitgebreid verslag en na tien dagen nog een over de kweek. Frits praat met collega's en met specialisten. Niemand heeft er ooit van gehoord dat vrouwen ergens op de wereld eieren leggen. Er wordt een beetje lacherig over gedaan en daarmee is het uit.

Niet voor Frits. Hij heeft het zelf gezien, hij heeft de reactie van de verschillende vrouwen gehoord: 'Geen bloed, geen pijn. Het kwam in een keer, ploep, naar buiten.'

Vooral over het commentaar van Rozemarie blijft hij nadenken: 'Ik wilde weten, hoe die vrouwen met hun menstruatie doen. Voor ons is het al zo'n geknoei. Fantastisch!'

Ja, het is inderdaad fantastisch. Rozemarie noemt de menstruatie geknoei. Maar talloze vrouwen komen op zijn spreekuur met serieuze klachten. Als hij achter het geheim van die oude heks kon komen, als hij het brouwsel van Yahi los zou kunnen krijgen, zou het een oplossing zijn voor veel verdriet. En: stel, dat hij een preparaat zou kunnen samenstellen, hoeveel geld brengt dat dan wel niet op?

Ik moet terug, denkt Frits. Ik ga het uitzoeken, kost wat kost.

'Rozemarie, hoe denk je erover om weer op reis te gaan?'

'Heerlijk, wanneer, waarheen?'

'Naar Womg'bumi.'

'O juist.'

Rozemarie kijkt uit het raam. De kale takken van de pruimeboom glimmen van de regen. Een fietser trapt zich krom tegen de wind. Nog maar een paar weken geleden zat ze zorgeloos buiten in haar blootje in een lauw bruisend bad. Toppunt van luxe.

'Liever niet, Frits.'

Ze heeft het al lang begrepen. De geschiedenis met het ei heeft hem constant beziggehouden. Hij wil weten, hoe ze daar dat drankje maken. Hij wil het hebben.

'Je wilt natuurlijk proberen achter het geheim van het ei te komen. Dat moet je niet doen.'

'Waarom niet? Jij hebt zelf ervaren, hoe plezierig het is. Ik zou heus niet overijld te werk gaan. Het moet worden onderzocht op bijwerkingen, we moeten een betrouwbare producent vinden. Het kan jaren duren, maar het is altijd de moeite waard.'

'Je doet, alsof je het al hebt. Ze zullen het niet willen geven.'

'Misschien niet. Ik wil er best voor betalen.'

'Ik denk dat geld deze mensen niet aanspreekt, vooral die oude vrouw niet. En het is haar geheim.'

'We kunnen het toch proberen. Ik hoef niet meteen te zeggen, waarom het gaat. Eerst voorzichtig aftasten hoe gevoelig het ligt.'

'O Frits, alsjeblieft. Het zou levensgevaarlijk zijn.'

'Hoe kom je daar nou bij? De mensen waren allervriendelijkst.'

'Juist daarom. Je mag er geen misbruik van maken.'

'Sorry, maar ik zie het helemaal niet zo.'

'We praten er nog eens over. Goed?'

Frits denkt: ik zal het eerst maar even laten betijen, maar het idee laat hem niet los.

Bijna elke avond komt Engelbert. Meestal zit hij somber voor zich uit te staren tot Frits een borrel schenkt en dan komen de klachten.

'Ze had er toch over kunnen praten.'

'Ik had geen aandacht voor haar. Nou, maar zij ook niet voor mij. De spinazie en de kippen en de kippen en de kas, dat was het enige waar ze belangstelling voor had. Ze was niet zo, voordat we trouwden. Ze moet niet denken dat ik het leuk vond overal alleen heen te moeten gaan. En juist nu we samen naar Afrika zijn geweest, laat ze het afweten. Ik wou dat ik wist, waar ze was.'

'Erica vertelde dat Evelien haar heeft gesproken,:' zegt Rozemarie, 'in Leiden.'

Engelbert zit plotseling rechtop.

'Ze heeft familie in Leiden. Dat weet ik. Een oom. Hoe heet die man ook weer. Oom? oom? Anton of Adriaan, zoiets. Maar zijn achternaam? Een oom in Leiden. Ik moet uitzoeken, wie het is.'

'Ga je dan naar haar toe, Engelbert?'

'Natuurlijk. Ik moet met haar praten. Ze moet terugkomen.'

Engelbert heeft zoveel haast dat hij meteen opstaat. Frits laat hem uit. Hij valt languit neer in zijn stoel en kijkt zorgelijk

Rozemarie zegt: 'Hoe zou het met Door zijn? Zeventien jaar is lang.'

'Ja.'

'Ik ben benieuwd of het iets uithaalt, dat praten. Zou ze terugkomen of is het definitief kapot.'

'Ja.'

'Wat ben je stil, Frits. Is er wat?'

'Ja,' zegt Frits, 'Ik moet je iets vertellen en dat vind ik moeilijk, net als Door.'

'Heb ik iets verkeerds gedaan?'

'Nee Roos.'

'Zeg het dan.'

'Ik wil naar Afrika.'

'Het ei.'

'Ja. Je bent er tegen, dat weet ik. Daarom heb ik het eindeloos uitgesteld. Ik heb geprobeerd het idee van me af te zetten, maar het is té belangrijk. Ik kan deze kans niet laten lopen.'

'Stuur een ander, Frits.'

'Een ander? Ik wil het juist hebben voordat een ander er lucht van krijgt. Door is in Leiden. Als zij verhalen gaat houden, is er voor je het weet een bioloog of een chemicus die zijn oren spitst. En een ander gaat profiteren van iets waar wij recht op hebben.'

'Je hebt er helemaal geen recht op. Laat dat enge volk met hun griezelige medicijnen knoeien en houd jij je bij onze eigen antibiotica. Het is daar levensgevaarlijk.'

'Ik vind dat je nodeloos bezorgd bent, Rozemarie. Je moet de andere kant ook eens bekijken. In de eerste plaats het plezier dat jij en andere vrouwen ervan zullen hebben. En bovendien: als we het een beetje handig inpikken, zijn we over een poosje schatrijk..'

'Dat hoeft niet van mij.'

'Je wilt wel dure reizen, mooie kleren en allerhande frutsels.'

'Niet ten koste van jou.'
'Roos, je stelt je aan.'
'Ik verbied je naar Wong'bumi te gaan.'

Solliciteren is een heel werk. Het moeilijkste is, netjes aangekleed precies op tijd voor een gesprek opdraven. Evelien heeft haar leven lang strijd tegen 'op tijd' gevoerd. Maar het valt allemaal erg mee. Na het eerste gesprek volgt een tweede. En dan is het opeens voor elkaar. Aangenomen. Ze moet een contract afsluiten. Na een korte opleiding zal ze voor een jaar naar Sougouni gaan. En ze kan direct met de opleiding beginnen.

Ze volgt een cursus in Afrikaanse gebruiken en etiquette. Daarna wordt ze een paar weken op het kantoor van een reisbureau geplaatst. Weer een cursus en dan is het plotseling zo ver: over tien dagen vertrekken. Het eerste wat ze doet is een brief aan Demba schrijven.

Tien dagen en ze weten thuis nog van niets. Evelien ziet verschrikkelijk op tegen het gesprek met pappie en mammie. Ze zit een hele dag verlamd in een stoel en dan maakt ze een omtrekkende beweging. Ze gaat eerst naar Echel.

'Ik kom afscheid nemen. Ik heb een baan in Afrika.'

'Ga jij naar Afrika?' zegt Frits, 'wanneer?'

'Aan het eind van deze maand.'

'Waarom heb je dat niet eerder verteld, Evelien?'

'Eerst wilde ik zover zijn dat het niet meer te veranderen was. Ik krijg altijd commentaar en daar kan ik niet tegen. Het is mijn eigen verantwoording wat ik met mijn leven doe.'

'Een baan in Afrika is wel iets anders dan je vorige plan,' zegt Rozemarie, 'Wat ga je er precies doen?'

Nu kan ze dat gaan uitleggen en daarmee is het klaar. Zo simpel. Ze vertelt niet aan Rozemarie en Frits dat haar eigenlijke doel wat verder ligt dan Sougoeni.

Het gesprek komt op de Winsloo's. Evelien vertelt: 'Ik herkende Door niet eens. Zo is ze veranderd.'

'Engelbert weet zich geen raad,' zegt Rozemarie. 'Hij komt hier bijna om de dag uithuilen. Hij begrijpt er niets van, heeft nooit iets aan Door gemerkt. Door is jarenlang een zwijgend slachtoffer geweest van mannelijke onverschilligheid. Het zal mij niet overkomen. Ik laat het wel merken, als iets me niet zint, hè Frits?'

Frits is ongewoon stil.

Hannejetje neemt Evelien mee naar de tuin om haar te wijzen waar de pad woont.

'Mol is nog niet op bezoek geweest en dat kan hij maar beter niet doen ook. Voor een mol is het gevaarlijk in onze tuin. Levensgevaarlijk. De tuinman wil hem vangen in een klem, zo gemeen.'

'Dat geloof ik best.'

'En in Afrika is het levensgevaarlijk voor een mens, Evelien. Weet je dat wel? Er wonen olifanten en leeuwen.'

'Ik zal heel voorzichtig zijn.'

'Maar je mag ze niet doodschieten. Alleen als een olifant per ongeluk op je trapt. Dan mag het.'

'Ik zal niemand doodschieten. Ook niet als ik word vertrapt.'

Rozemarie zal mammie wel voorbereiden, denkt Evelien. Die twee telefoneren geregeld met elkaar. Ze stelt het nog een dag uit en dan moet het. Ze gaat met de trein en de bus naar Smokkelersgat, loopt in de wind het dorp uit naar huis, voor het laatst.

'Ik had al zo'n voorgevoel,' zegt mammie. 'We hoorden zo lang niets van je. Ik dacht: die voert iets in haar schild. Nu ja, als die studie weer niets wordt, is het inderdaad beter dat je gaat werken. Het is jammer dat je zo wispelturig bent.'

'Ja mam.'

'Ik vind het hoogst merkwaardig dat ze een jong meisje kiezen voor deze job. Is het wel een bona fide organisatie? Het lijkt me nogal verantwoordelijk werk. Denk je dat je het aankunt? En hoe woon je daar?'

'In een hotel.'

'Stuur ons vooral vlug foto's, Evelien,' zegt pappie, 'Dan kunnen we ons tenminste voorstellen, hoe je het hebt.'

Mammie zegt: 'Als je maar niet met zo'n zwarte jongen thuiskomt.'

'Daar hoef je helemaal niet bang voor te zijn,' zegt Evelien. Ze deugt niet: ze kan niet studeren, is wispelturig, maar voor een zwarte jongen is ze dus toch nog te goed, hoeveel hij misschien wel presteert. Ze denkt: goed dat ik het weet, hier hoef ik nooit meer terug te komen. Koude kille Hollandse harteloosheid. Daarom wil ik weg. De warmte van haar jeugd, pappies vrolijkheid, mammies zorg die ze toen ze klein was juist wel nodig had, daar moet ze nu maar liever niet aan denken. Ze was van plan alles nog een keer goed te bekijken. Ze doet het niet. Het interesseert haar al niet meer.

Pappie en Erica brengen haar naar Schiphol. Evelien heeft geprotesteerd: 'Ik ga veel liever alleen.' Ze voelt zich laf en leugenachtig. Laat het voorbij zijn. Natuurlijk komen ze toch.

Pappie zegt: 'Houd je taai.'

Erica zegt: 'Een jaar gaat gauw voorbij.' Evelien bijt op haar lippen en kijkt niet meer om.

Uit het vliegtuig ziet ze Holland, plat, nat en nevelig, als een verjaardagstaart in stukken gesneden in een grijze wolk verdwijnen. Een nieuw leven gaat beginnen.

11

Het hotel is luxueus. In het midden van de ronde hal groeien volwassen palmen. Vier liften suizen op en neer en laten bescheiden belletjes gaan. Andere bescheiden belletjes brengen verdekt opgestelde standbeelden in beweging, gekleed in wit en rood. Alleen hun hoofden zijn onveranderlijk zwart. Evelien vindt dat ze te correct en dienstvaardig zijn.

Ze heeft een kamer op de negende verdieping. Haar kantoortje ligt drie straten verder. Daar is het bijna armoedig. Ze moet er samenwerken met een glundere dikkerd die Gaston Balop heet en met Bia, een typiste die alles wil leren, maar weinig kan.

Balop is de officiele directeur en Evelien moet hem assisteren. Er zijn omstandigheden waar hij geen raad mee weet. Ze is van tevoren gewaarschuwd dat ze hem nogal eens zal moeten corrigeren, maar ze moet hem vooral in zijn waarde laten. Ze heeft er zich geen zorgen over gemaakt. Haar doel is in Afrika te komen, een jaar dit werk te doen en dan de hele westerse wereld vaarwel te zeggen.

De omgang met meneer Balop en het werk vallen mee. In het grauwe kantoortje wordt veel gelachen en nooit gejacht. Op alle mogelijke manieren komen er opties en ideeën voor reizen, verblijven en evenementen binnen. Die moeten ze sorteren en bekijken of het wat voorstelt of niet. Balop weet het over het algemeen goed te beoordelen, maar soms zit hij er helemaal naast.

Evelien zal veel moeten reizen en ze hoopt natuurlijk een keer naar Womg'bumi te kunnen gaan. Het ligt niet in een toeristisch gebied, maar daar zal ze wel iets op vinden. Ze heeft al drie keer naar Demba geschreven, eerst vanuit Holland en toen meteen na haar aankomst. Tot nu toe is er geen antwoord. De post is hier erg traag.

Ze vraagt elke dag bij de balie of er een brief is gekomen en zweeft dan teleurgesteld omhoog naar haar kamer. Ze neemt een bad en zweeft terug voor het diner. Op het dak van het hotel is een zwembad. Een keer leuk, twee keer leuk, daarna niet leuk meer. Er probeert nogal eens iemand met haar in contact te komen, zakenlieden van alle mogelijke nationaliteiten. Evelien heeft geen belangstelling.

Ze heeft spijt dat ze niet veel meer boeken heeft meegenomen. Ook in de stad is er weinig voor haar te beleven. En ze kan maar niet wennen aan de bedelaars. Elke dag passeert ze een kleine jongen met dunne slierten onbruikbare beentjes die op een plankje met kleine houten wieltjes zit. Ergens anders ligt een apathische vrouw met een kindje in een hoop vodden. Haar bedelende hand is ook van binnen zwart. Evelien heeft zelf een tijd gehad dat ze haar omgeving niet kon of wilde zien. De leegte waarin ze toen verkeerde was ellendig. Nu trekt ze zich persoonlijk de uitzichtloze leegte aan waarin deze mensen moeten leven.

Ze praat erover met Balop. Die haalt zijn schouders op. Niets aan te doen, het is nu eenmaal zo. Evelien gooit iedere dag een paar muntjes in de hoop vodden en loopt door met een brok onoplosbaar verdriet.

Als ze het wel eens moeilijk heeft, frummelt ze aan haar gri-gri en ze denkt: het is maar voor een jaar. De gedachte dat Demba na een jaar geen belangstelling meer voor haar zou kunnen hebben, laat ze niet toe.

Vanuit haar negende verdieping kijkt ze naar de lichtjes van de stad.

De telefoon gaat. Na drie keer bellen houdt hij ermee op. Vijf minuten later gebeurt het opnieuw. Het is Frits.

'Hoe gaat het, Evelien? Ben je gezond?'

'Ja natuurlijk. Jullie ook?' Waarom zou Frits haar opbellen? Is er iets ergs gebeurd? pappie dood, mammie van de trap gesuld, kom thuis? Ze voelt een lichte paniek.

'Ik eh, ik kom je bezoeken, Evelien. Morgenochtend ben ik in Sougouni.'

'O, leuk.'

'Ik zal een taxi nemen naar het hotel. Morgen spreken we elkaar. Dan zal ik een en ander uitleggen.'

'Goed Frits. Tot morgen.'

Afgelopen. Evelien blijft peinzend voor zich uit staren. Waarom komt Frits? Wil hij haar halen? Hebben ze er op een of ander manier lucht van gekregen dat ze hier blijven wil? Maar ze heeft er met niemand over gepraat. Ja toch, met Door. Dat moet het zijn. Ha ha, maar het zal ze niet lukken. Ik zit hier lekker en ik ga nooit meer terug. Evelien kan er niet van slapen.

Moe en verfomfaaid van de nachtelijke vlucht arriveert Frits in het hotel. Evelien is niet aanwezig. Hij boekt een kamer, gaat er douchen, dan terug naar beneden om op zijn schoonzus te wachten. Ook hij heeft niet kunnen slapen. Hij zat te dicht bij het scherm waarop in het verduisterde vliegtuig een film werd vertoond vol sex, geweld en paarden. En het afscheid van Rozemarie, met tranen, zat hem behoorlijk dwars. Alsof hij een onverschillige bruut is, die alleen zijn eigen belang wil zien.

Terwijl Frits in de luxueuze lounge op Evelien zit te wachten, overdenkt hij de moeizame laatste weken. Ze hebben elkaar altijd veel vrijheid gegund, omdat ze een afschuw hadden van de toestand in veel huwelijken, waarbij partners elkaar in alle opzichten de wet voorschrijven en zich gedragen alsof haar man of zijn vrouw een eigendom is. Je bent getrouwd, omdat je graag samen wilt zijn, maar dat geeft geen van beiden het recht te regeren over de gedachten, meningen of handelingen van de ander. Zo hebben ze het in het begin afgesproken en het heeft altijd uitstekend gewerkt.

En nu doet Rozemarie net precies dat. Ze is zich halsstarrig blijven verzetten tegen zijn reis. 'Ik verbied je naar Afrika te gaan.'

Maar Frits heeft zich niet laten verbieden. En nu is hij hier. Hij moet het niet laten merken. Zijn moeilijkheden met Rozemarie gaan Evelien niet aan.

Ze vinden elkaar bij de lunch. Evelien, lang en smal in een witte broek met een geel en wit t-shirt, komt haastig naar hem toe. Ze begroet hem nauwelijks en wil direct weten: 'Waarom ben je alleen. Er is toch niet iets ergs, Frits?'

'Welnee, wat zou er zijn?'

Frits veegt met een vermoeid gebaar langs zijn gezicht.

'Ik zal je uitleggen, wat ik hier kom doen, Evelien. Ik heb misschien wel je hulp nodig.'

'Mijn hulp?'

Naarmate het verhaal vordert, verliest Frits zijn sombere stemming. Hij begint bij het ei en de drank van de maannacht, dan schildert hij de mogelijkheden en vooruitzichten die het tovermiddel voor de wetenschap zal hebben en niet te vergeten voor vrouwen in de vruchtbare periode. En hij raakt bijna in vervoering als hij tenslotte terechtkomt bij zichzelf.

'Ik zal het laten analyseren door de beste farmacologen en als het preparaat er eenmaal is zitten we op rozen. Jij ook natuurlijk, Evelien.'

'Als je er tenminste aan kunt komen, Frits. Hoe stel je je dat eigenlijk voor?'

'Dat wil ik juist met jou overleggen. Ik ben nog niet vergeten dat ze in eerste instantie hebben gevraagd om een motorfiets. Een schitterend glimmend nieuw exemplaar zou misschien hun hebzucht opwekken. Wat denk je?'

'Ik heb die medicijnvrouw maar een keer gezien. Het lijkt me niet iemand die een motorfiets wenst.'

'Ik zou het ook kunnen ruilen voor antibiotica. Dan krijgt ze er een ander wondermiddel voor in de plaats.'

'Misschien.'

'En als ze op geen manier wil meewerken is er nog een mogelijkheid: dat jij naar dat feest van de volle maan gaat en een beetje van die vloeistof meeneemt.'

'Dus als je het niet kunt kopen, wil je het stelen.'

'Stelen is zo'n groot woord. Als je het aangeboden krijgt, is het toch niet erg als je het niet allemaal doorslikt.'

'Wel, als ze eerst hebben geweigerd het te verkopen. In dat geval zouden ze me trouwens niet toelaten op hun feest.'

Dat is de moeilijkheid waar Frits van het begin af aan mee heeft gezeten. Hij wil die primitieve mensen niet benadelen, maar hij gunt hun ook niet het recht zo'n kostbaar medicijn voor zichzelf alleen te houden.

'Zou Munengo willen bemiddelen?'

'Misschien.'

Evelien denkt na.

'Ik denk,' zegt ze eindelijk, 'dat je het er Munengo erg moeilijk mee zou maken en dat je het toch niet krijgt. Ik heb het een en ander geleerd over de Afrikaanse mentaliteit in de cursussen, voordat ik hier kwam. Zulke vrouwen als die Yahi hebben veel macht en ze geven niets om geld of iets anders wat wij hun kunnen bieden. En wat dan, Frits? Als ze zegt: 'je krijgt het niet, nooit.' Wat wil je dan?'

'Voorlopig houd ik geen rekening met die mogelijkheid,' zegt Frits.

'Wanneer ga je naar Womg'bumi? Heb je al een ticket voor Gondom?'

'Nog niet, ik hoopte dat we samen zouden gaan.'

'Ik zal er over denken. Vanmiddag moet ik nog een paar uurtjes werken. Zien we elkaar weer bij het diner?'

'Eh ja. Of eigenlijk, Evelien dit is een onbetaalbare tent. Hoe kan jouw reisbureau het opbrengen dat je zo duur woont?'

'Door jou. Vaste gasten betalen veel en veel minder en een reisbureau krijgt daar nog korting bovenop, omdat ze klanten aanbrengen. Een heel plezierige regeling. Ik bedacht het niet zo gauw, maar we kunnen wel goedkoper eten vanavond. En echter. Ik zal aan Balop vragen waar ze het lekkerste koken.'

Frits heeft haast. Hij kan niet te lang uit zijn praktijk wegblijven. Bovendien is het hotel hem veel te duur. Maar Evelien komt met uitvluchten.

'Ik ben hier nog maar zo kort geleden begonnen. Ik ben nog niet eens goed ingewerkt. Al met al kost het minstens een week en hoogstwaarschijnlijk twee keer zo lang. Dat kan ik niet verantwoorden, want het valt niet te combineren met een dienstreis. Gondom is toeristisch niet interessant.'

'Er was toch een wildpark.'

'Met drie olifanten en een koppeltje rhino's. Die hebben ze overal.'

'Verzin dan een zeldzame orchidee of een rare vogel. Er is daar vast wel iets wat je nergens anders ter wereld vindt.'

'Ik zal het overleggen met Balop.'

Balop heeft er geen enkel bezwaar tegen dat ze een paar weekjes verdwijnt.

'Ik heb het eerst ook allemaal alleen gedaan.'

Hij heeft een ander werkritme dan Evelien. Haar aanwezigheid benauwt hem wel eens een beetje. Het punt is eigenlijk dat Evelien nog niet met zichzelf heeft uitgemaakt of en in hoeverre ze Frits wil helpen. Ze wil dolgraag naar Womg'bumi, hoe eerder hoe liever, maar dan zonder Frits. Ze heeft nog niets van Demba gehoord. Zijn haar brieven niet aangekomen? Hij moet haar niet vergeten. Tegelijk denkt ze: over een jaar is mijn contract hier afgelopen. Dan ga ik voorgoed naar Womg'bumi en ben ik een van hen. Dan is het misschien heel eenvoudig een flesje van dat vocht naar Holland te sturen, hoewel... Ze realiseert zich dat haar bewegingen erg beperkt zullen zijn. Het middel van Yahi zou inderdaad een geweldige aanwinst zijn voor de medische wetenschap al wil Frits het voor een groot deel uit eigenbelang bemachtigen, maar ze is overtuigd dat Yahi haar geheim niet zal prijsgeven. En ze is niet van plan het haar op een slinkse manier te ontfutselen. Dat heeft ze Frits goed duidelijk gemaakt.

'Ze zal het niet merken,' zegt Frits, 'Zo'n mens heeft geen benul van een chemische analyse.'

Evelien houdt haar mond. Yahi zal het hoogst waarschijnlijk wel merken. Ze kan diep in iemands gedachten kijken. Evelien heeft zelf haar griezelige zwarte ogen gezien. Het risico is veel te groot, maar daar gaat het niet om. Voor haar is het een kwestie van ethiek. Yahi heeft het recht haar geheim te bewaren. Ze moet een besluit nemen. Ze kan domweg alle medewerking weigeren. Ze kan Frits onder geheimhouding vertellen dat ze nog steeds van plan is aan het eind van het jaar voorgoed naar Womg'bumi te gaan en hem voorlopig maar huis sturen. En ze kan ook met hem meegaan en dan maar zien wat ervan komt. In dat geval ziet ze Demba al gauw. En dat geeft de doorslag.

'Ik ga wel met je mee, Frits. Maar je krijgt me niet voor gekonkel of geknoei.'

Frits wordt boos. Daar heb je het weer. Net Rozemarie met haar onberedeneerde angsten.

'Als je niet mee wilt werken, kun je net zo goed hier blijven. Het is mijn eerlijke overtuiging dat ik bezig ben met een goede zaak. En als die ouwe taart zo eigenwijs is dat ze dat niet wil inzien moet ze het zelf weten. Ik ga met dat goedje naar huis, hoe dan ook en dan zullen we eens kijken of ze later de opbrengst ervan accepteert of niet. Ik zal niemand benadelen en hebzucht is deze mensen niet vreemd.'

Nu zou Evelien moeten zeggen: 'Goed, dan blijf ik hier.'

Ze zegt het niet, want ze verlangt naar Demba.

12

De brieven van Evelien zijn wel aangekomen, maar Demba heeft haar nog niet geantwoord. Hij heeft wel wat anders te doen. Hij is bezig een huis te bouwen.

Siofok bracht de eerste brief mee uit Mwaka. Het is de enige plaats in de verre omtrek waar een postkantoortje is en daar liggen brieven en pakjes te wachten tot iemand uit het betreffende dorp toevallig eens langskomt. Demba heeft de brief gelezen. Eveline komt naar hem toe. Dat is prachtig, heerlijk. Hij bergt de brief in een kistje waar zijn stiefmoeder haar bezittingen bewaart en gaat nog harder werken aan zijn toekomstige woning, want als hij een tweede vrouw krijgt zal er ook een tweede hut moeten komen en hij heeft weinig hulp, want ook anderen zijn aan het bouwen. Womg'bumi liep een beetje achter met de bruiloften. Munengo had de eerste moeten zijn van zijn leeftijdsgenoten, maar hij nam maar steeds geen beslissing. Door het bezoek van de Hollanders is er eindelijk vaart achter gezet. Dat was tenminste een goede kant van die uitzonderlijke gebeurtenis.

Nu Demba gaat trouwen zijn ook zijn vrienden er op uit gegaan naar de nederzettingen in de omgeving om er de huwbare meisjes te bekijken. Sawato, Ntho en Siofok hebben er al een uitgezocht en met hun vaders onderhandeld over de prijs. Nu wordt overal in Womg'bumi met bamboe gesleept en touw gevlochten. Lange slingers palmblad voor de daken hangen te drogen. Ntho neemt genoegen met de huisjes waar de gasten hebben gelogeerd, een voor hem zelf en een voor zijn vrouw, maar hij moet wel alle anderen helpen met bouwen.

Sawato kwam aangezet met de tweede brief van Evelien. Hij had hem opgerold in het doekje dat hij als steun gebruikte voor het blik olie op zijn hoofd. Bovendien had hij twaalf geiten bij zich voor zijn aanstaande schoonvader. Hij had zijn handen vol om zonder ongelukken met al die beesten door het oerwoud te trekken. Zo kwam het dat hij de brief vergat totdat hij het doekje opnieuw nodig had.

Evelien schreef erin wanneer ze naar Afrika zou komen en ook het adres van haar hotel in Sougouni. Demba stopte het bericht nog sneller in de kist. Op school heeft hij de maanden van het jaar geleerd, maar de volgorde is hij vergeten en zelfs als hij het rijtje nog had gekend, zou hij niet weten welke maand er nu aan de beurt is. En het kan hem niet schelen ook. Hij moet zijn bruid gaan roven. Alles is van tevoren geregeld, maar het meisje moet toch geroofd worden. Ze weet dat het gebeuren zal, alleen niet wanneer.

Met een paar vrienden onderneemt Demba de nachtelijke tocht. Stil, om niets te verstoren. Hij kent als geen ander het oerwoud, maar in de beklemmende duisternis zijn er ook voor hem geheimen. Fluwelen nachtvlinders en zwevende vuurvliegen kunnen evengoed de adem en ogen van dwalende geesten zijn.

Even stil sluipen ze door het vreemde gehucht naar het huis van Noliyanda. Van een licht geritsel wordt ze wakker, ze schiet overeind en ziet door een kier van de deuropening het glinsteren van Demba's donkere ogen. Meteen komt hij helemaal binnen. Hij pakt haar op en sleept haar in zijn grote armen het huis uit. Pas als ze bijna buiten het dorp zijn, zet Noliyanda het op een gillen. Dat is het teken voor haar familie om te voorschijn te komen. De mannen zetten de achtervolging in. Demba's voorsprong is net groot genoeg. Hij klemt het slanke meisje tegen zijn eigen sterke blote lijf, haar hoofd in zijn hals en het kroeze haar tegen zijn lippen en hij draaft, draaft tussen de zwarte schaduwen van eeuwenoude bomen. Noliyanda kan zijn hart voelen bonzen.

'Oefh, oefh, oefh!' de vrienden moedigen hem aan.

De vader en de broers van Noliyanda jakkeren onvermoeid mee totdat ze in Womg'bumi zijn. Daar staan alle mannen te wachten om een zogenaamd gevecht te leveren. Ze jutten elkaar op met getrommel en ze houden een wilde dans vol gevaarlijke schijnbewegingen. De bruid wordt zolang opgesloten. En ze blijft opgesloten totdat de eigenlijke bruiloft plaatsvindt.

Dan komt haar familie opnieuw en ze brengen geschenken die onder alle omstandigheden haar bezit zullen blijven, huisraad en kostbare sieraden. De dag voor de ceremonie wordt vastgesteld als de geiten worden afgeleverd, weer met zang en dans en drukte.

Nu er vier mannen tegelijk gaan trouwen duren de voorbereidingen lang. De arme Noliyanda zit al tien dagen in een dichte hut en ze mag er niet uit. Haar aanstaande schoonmoeder en schoonzussen verzorgen haar en soms kan ze door een kiertje naar buiten kijken.

'Daar gaat hij. Zie je hem? Dat is Demba, je man.'

'Mmm,' zegt Noliyanda.

En Demba loopt zo vaak voorbij als hij kan zonder uitgelachen te worden en dan kan hij haar aanwezigheid voelen.

In andere hutten zitten Nunu, Nokili en Nonikwe en daar gaat het precies zo.

Op de dag van de ceremonie worden ze van top tot teen gewassen met warm water, Tot zolang hebben ze de doek gedragen die ze om zich heen hadden toen ze werden geroofd. De lichaamsgeur van opgejaagde mannen zit er nog in. De bruiden worden met kruidenolie ingewreven en prachtig opgemaakt met rode klei en oker. Al voordat ze klaar zijn komen hun moeders en zusters met dikke rijen cowriekettingen, arm- en beenbanden van zilver en ivoor en gouden ringen voor hun oren.

De ceremonie is een feest van palmwijn, bloed en rook. Al vroeg in de morgen steekt Yahi een vuur aan, waarin ze van alles verbrandt om zwervende zielen en kwade gedachten te verjagen. In de middag begint het offeren. Een groot aantal kippen en varkens gaat eraan voor de zielen van voorouders die de bruiloft juist wel moeten bijwonen en ook om de taltijke gasten op een feestmaal te trakteren. Kleine jongens vangen het bloed op in holle bamboestengels. Ze mengen er gestampte gierst doorheen en roosteren de stokken in het vuur. Als de stengels knallen komt er een stijve zwarte worst te voorschijn die ze in plakken snijden en uitdelen. Wie ervan eet kan een jaar lang niet meer ziek worden.

De hele dag door wordt er gedrumd. Iemand die toevallig in de buurt zou zijn moet horen dat er feest is en dat hij welkom is om het bij te wonen. En de hele dag wordt er palmwijn rondgedeeld, maar niemand is echt dronken. De alcohol komt met het zweet naar buiten. Er wordt onophoudelijk gedanst.

De vier bruiden zitten naast elkaar, stijf in hun feestkleding, tot eindelijk het moment is gekomen, waarop ze onder woest gejoel, aanmoedigende opmerkingen en ondubbelzinnige toespelingen van de omstanders naar hun toekomstige woning worden vervoerd. Hun mannen moeten meteen hun plicht doen. Ze hebben lang naar dit ogenblik uitgekeken en de meisjes zijn er goed op voorbereid.

Noliyanda is een zelfbewuste dochter uit een voorname familie. Vanaf de eerste dag weet ze Demba op zijn plaats te zetten, als hij zich volgens haar niet correct gedraagt. En hij accepteert dat, waardeert het zelfs, want in de nacht laat ze zich graag overmeesteren. Ze genieten uitbundig van elkaar. Wat Demba betreft mag Evelien nog wel een poosje wegblijven.

Fodé is altijd geïmponeerd geweest door Munengo, de man die verder keek dan zijn kleine dorp en die zoveel wonderbaarlijke dingen uit de grote wereld wist te vertellen en liet zien. Maar nu weet hij het niet zeker meer. Demba is sterker, Demba heeft de mooiste vrouw en Demba wordt misschien wel hoofd van het dorp als Ngunza doodgaat. Fodé kijkt al met mannenogen naar de bewegelijke Noliyanda en hij vindt Munengo, die zo zeurt voordat hij een vrouw neemt, nu toch een beetje sukkelachtig. Hij is niet eens bij het feest geweest.

Fodé weet ook dat een van de witten Demba's tweede vrouw zal worden. Demba schept erover op. Iedereen weet het, zelfs Noliyanda. Zij vindt dat het haar status verhogen zal.

Toen Fodé de vier bruiden bewonderde, heeft hij zich afgevraagd hoe de witte bruid eruit zal zien als het zover is. En hoe zal ze kijken? Haar gezichtsuitdrukking is zo heel anders dan die van een Afrikaanse. Het is bijna onvoorstelbaar en hij verlangt ernaar het mee te maken.

Zoals iedereen wist ook hij van de eerste twee brieven. Daar hebben Siofok en Sawato wel voor gezorgd. Fodé dacht: nog een brief en dan komt ze. Daarom is hij zelf maar naar het postkantoor gegaan, want voorlopig heeft niemand een boodschap in Mwake en hij gaat er iedere dag naar school.

En ja hoor, er was een brief. Triomfantelijk komt Fodé er mee aan bij Demba.

'Hoe kom jij hieraan?' vraagt Demba kwaad, 'Er staat in de brief dat Evelien gauw komt, maar dat wil ik niet. Ik wil die brief niet hebben. Nu nog niet. '

Demba's opvatting over oorzaak en gevolg is in Womg'bumi niet ongewoon. Fodé schaamt zich. Demba wil niet dat ze nu al komt en als het toch gebeurt, heeft hij het op zijn geweten. Fodé wil het graag goedmaken. Hij is een inventief jongetje.

'Demba! Jij kunt toch ook wel een brief maken. Je schrijft gewoon: je moet komen als er vier manen voorbij zijn.'

Demba hoeft niet lang na te denken. Hij kan schrijven, een beetje, maar een brief aan Evelien. Nee.

'Nee.'

'Ik kan het, Demba. Zal ik het doen? Ik kan een mooie brief schrijven. Ik maak nooit taalfouten op school.'

'Weet je het zeker, Fodé? Goed, doe jij het dan maar. Als er vier manen voorbij zijn. Ja, heel goed.'

Fodé scheurt een blaadje uit zijn schrift en begint zijn best te doen. Hij had geen idee dat brieven schrijven zo moeilijk zou zijn. Al gauw heeft hij een nieuw blaadje nodig en later nog een. De meester zal het zeker zien, hij krijgt de grootste moeilijkheden. Dapper zet hij door. Deze opdracht is belangrijker dan heel de meester, ook al zal hij ervoor gestraft worden. Na veel geploeter gaat hij met zijn manuscript naar Demba.

Lieve Evelien,

Ik ben Demba en ik vraag: kom na vier manen. De onderbuik van Demba is nu leeg. Na vier manen zal hij weer vol zijn.

Van Demba.

'Denk je dat het zo goed is? Hoe het verder moet met postzegels en zo zal ik wel aan de meester vragen.'

Demba moet er hard om lachen.

'Het is goed, Fodé. Je begrijpt het helemaal. Ik vind het een mooie brief, maar ik wil hem toch liever niet wegsturen. Dus je hoeft niets aan de meester te vragen.'

Fodé druipt teleurgesteld af. Nu zal hij straf krijgen voor niets.

Demba scheurt het schriftevelletje in kleine stukjes. Dat doet hij meteen ook maar met de brief van Evelien. De witte vlokjes zijn zo klein dat ze op weggewaaide bloesem lijken. Nu is het net of er nooit een brief is geweest. Demba kan weer onbezorgd met Noliyanda vrijen.

Frits en Evelien zijn naar Gondom gevlogen. Ze zoeken eerst het adres van Munengo. Het blijkt het voornaamste hotel van Oudougoangi te zijn.

'Wel wel,' zegt Frits, 'meneer heeft een aardig onderkomen.'

'Denk jij dat hij hier een hotelkamer heeft?' zegt Evelien, 'hij is alleen maar gids. We moeten vragen, wanneer hij er is.'

Ze lopen verschillende mensen af tot en met de directie, zonder succes.

'Ik begrijp het niet,' zegt Frits, 'Ze geven van die ontwijkende antwoorden. De een zegt dat hij misschien wel naar zijn dorp is, de ander dat hij misschien wel morgen terug komt en een derde beweert dat hij Munengo helemaal niet kent.'

'Dat kan best allemaal waar zijn.'

'Als het maar niet zo leugenachtig klonk. Bah, die ondoorgrondelijke zwarte gezichten. Nu moeten we zelf een taxi zoeken. Jammer, het zal veel duurder zijn.'

Evelien laat een briefje achter voor Munengo en dan wandelen ze naar het taxistation.

'Wat is het verschrikkelijk heet,' zegt Frits.

'Je bent nog niet aan de tropen gewend. Je moet niet zo hard lopen.'

Na een vermoeiende rit komen ze stijf en stoffig in Mbongue aan. Nog een dag hobbelen en daar is Mwaka met het schooltje en het postkantoor van leem. Nu nog de lange wandeling over het smalle pad naar Womg'bumi.

Frits wordt opeens ongerust.

'Was er echt maar één pad? Kunnen we niet verdwalen?'

'Geen idee.' Evelien let nooit op dat soort dingen.

In de steden werden ze bijna aangevallen door opdringerig hulpvaardige jongens. Hier staan alleen enkele oude mannen die net doen of ze niet nieuwsgierig zijn. Frits stapt naar hen toe:

'We willen naar Womg'bumi.'

De mannen beginnen te praten. Met elkaar.

'Geduld Frits, geduld,' zegt Evelien, als ze ziet dat hij alweer geïrriteerd raakt.

Tenslotte zegt een van hen dat ze straks met de schoolkinderen mee kunnen gaan. Tot zolang mogen ze in zijn huis komen thee drinken.

Binnen is het betrekkelijk koel. De thee is zoet en schuimend. De oude man vertelt dat kort geleden in Womg'bumi een geweldig feest is gevierd.

'Vier bruiloften tegelijk. De zoon van het dorpshoofd is getrouwd.'

Demba, denkt Evelien. Ik wist het. Wat een geluk dat ik het nu al hoor en er niet plotseling mee geconfronteerd word. Wat zou ze voor iemand zijn?

Er zijn vandaag maar drie kinderen uit Womg'bumi naar school gekomen. Fodé is er een van. Als hij Frits en Evelien ziet, schrikt hij even. Ze is dus toch gekomen. De witte man wil wel erg graag van zijn dochter af. Hij zet meteen de tas van Frits op zijn hoofd, maar Evelien is maar een vrouw, ze moet haar eigen spullen dragen, daar is ze voor gemaakt.

Evelien vraagt hoe de bruiloft is geweest en ze krijgt een uitgebreid verslag erover. Ze praat met de andere jongetjes over de school, maar Frits is stil. En als ze aankomen rennen de kinderen alle drie weg.

Verloren staan Frits en Evelien op het open veldje bij het mannenhuis. Gelukkig is daar een bekende: Babukar. Vrolijke uitroepen, schouderkloppen en plotseling komen er meer: Siofok, Sawato en ook Demba. Nog meer drukte en welkom, welkom, welkom.

Demba is stralend als altijd. Hij brengt de gasten naar zijn vader, maar hij blijft daar niet. De taak van vertalen laat hij over aan de breed lachende Babukar.

Evelien heeft geen speciale begroeting van Demba verwacht. Hij deed altijd alsof ze niet bestond als er anderen bij waren en nu natuurlijk helemaal. Hij is hartelijk en attent op zijn eigen wat ruwe manier. Hij is net als vroeger en toch is er iets veranderd. De spanning is weg. Maandenlang heeft ze naar hem verlangd. Nu ze hem eindelijk weerziet had ze toch minstens een dichtgeknepen keel moeten hebben door de warmte in haar hart, net zoals toen ze hem de eerste keer in Womg'bumi terug zag. Maar het lijkt of ze gewoon een oude vriend ontmoet, heel vreemd.

Ngunza heeft haastig een passende versiering in zijn uiterlijk aangebracht en is plechtig op zijn hoofdmansbankje gaan zitten. Hij denkt dat hij weet waarover het zal gaan: dit wordt alweer een bruiloft voor Demba. Maar nu zal het toch wat eenvoudiger moeten, al verbeelden die witten zich nog zo veel, Ngunza is geen kapitalist. En hij is nog altijd een beetje boos op Frits, omdat het gezelschap de vorige keer zo onverwacht is weggelopen.

In zo'n eerste gesprek wordt het doel van de komst nog niet aangeroerd. Evelien heeft Frits op het hart gedrukt zich aan die gewoonte te houden. Hij presenteert een goudbedrukte lap stof, een boek met foto's van Holland en een rode zaklantaarn. Dat Ngunza wat gereserveerder is dan bij de vorige gelegenheid merkt hij niet eens.

Deze keer zijn er geen speciale woningen voor de logé's en ook geen stretchers. Frits krijgt een plekje bij een weduwnaar en Evelien mag gebruik maken van het huisje van Ndumbe die een paar dagen met haar kindje op bezoek is bij familie.

Demba nodigt hen uit voor het eten. Vol trots vertoont hij zijn nieuwe huis en zijn vrouw. Noliyanda is bescheiden en elegant. Ze bedient haar man en zijn gasten en trekt zich terug in haar eigen kleine hut.

Evelien vraagt zich af wat er nu eigenlijk veranderd is. Demba lijkt totaal niet meer op het beeld dat ze al die tijd van hem gekoesterd heeft. Zijn opschepperij die haar vroeger vertederde vindt ze nu genant. Hij is mooi, sterk, en vrolijk, maar toch wel een erg onbehouwen man.

Na het eten zegt Evelien:

'Demba, kan ik naar je vrouw toe gaan?'

'Dat kan.'

Bij de ingang van de kleine hut vraagt ze:

'Mag ik binnen komen?'

Noliyanda knikt vriendelijk. Ze veegt met haar handbezempje de vloer schoon. 'Kom zitten.'

'Je hebt lekker gekookt. Kan ik ergens mee helpen?'

De pan is schoongeschrapt, borden zijn niet gebruikt. Er is geen afwas. De twee vrouwen zitten tegenover elkaar. Ik moet iets zeggen, denkt Evelien. Zij wachten altijd af. Hoe moet ik beginnen?

Noliyanda wacht niet af. Ze kijkt Evelien onbevangen aan en vraagt: 'Ben jij het? Word jij de tweede vrouw?'

En Evelien zegt: 'Misschien,' maar ze denkt: O nee.

Is ze werkelijk van plan geweest haar leven hier in te kapselen?

Ze vinden elkaar aardig. Noliyanda is spontaan en intelligent. Ze had een dom of heerszuchtig schepsel kunnen zijn en Evelien was bereid dat te accepteren, evenals het primitieve gedoe van een hutje en een vuurtje, met je vingers zitten eten op een aarden vloer, het eindeloze werk voor een simpel maal en het zinloze gesjouw met water. Iedereen heeft haar gewezen op de dwang en de dodelijke eentonigheid, maar ze zag alleen het zorgeloze, beschermde bestaan en de zon. En nu: alle magie is er af.

'Ik werk in Sougouni,' vertelt ze, 'Daar moet ik een jaar blijven.'

'Heb je veel geleerd?'

'Eh ja, wel tamelijk veel, geloof ik.'

'Als je hier komt, neem je dan boeken mee? Ik wil zo graag ook veel leren. Wil jij me les geven? Ik ben maar drie jaar naar school geweest. Meisjes hoeven niets te weten hier.'

Haar stem is diep en melodieus en ze kijkt opeens heel droevig. Evelien neemt zich voor direct een paar boeken te sturen.

'Als het doorgaat dat ik kom, ja. Maar het is nog niet zeker.'

'Jullie zijn toch hier om het af te spreken? Als de ouders het willen gaat het door. Is die man je vader?'

'Het is de man van mijn zus.'

'Dat is ook goed. Ik hoop dat ze het eens worden.'

Later vraagt Demba aan Noliyanda: 'Hoe vind je haar?'

'Goed. Ik hoop dat je haar zult nemen. Is ze duur?'

'Dat weten we nog niet. Witten doen altijd anders dan je verwacht. Ik zal straks met haar praten.'

Als ik haar wil hebben moet ik het heet houden, denkt Demba. In het donker haast hij zich naar het plekje waar ze elkaar destijds elke avond ontmoet hebben. Onderweg probeert hij het oude gevoel voor Evelien weer wat op te fokken. Het lukt niet erg. Noliyanda is te vol in hem aanwezig. En Evelien komt niet naar de boom.

Ze ligt op de harde vloer in haar huisje en terwijl ze probeert in slaap te komen ontwikkelt zich een levensgrote angst: wat, als Frits haar inruilt voor zijn eierdrank? Net iets voor hem. Hij zou zo'n overeenkomst niet serieus nemen. De gewoonten van de mensen hier zeggen hem niets. Noliyanda zei: 'Als de ouders het eens zijn, gaat het door.' Dwang, in dit land heb je geen kans je te onttrekken aan de macht van de traditie.

Frits vraagt een onderhoud met Yahi. Samen met Babukar wordt hij ontvangen buiten voor haar hut. Ze zit als een houten beeldje voor de ingang en ze heeft precies dezelfde vaalgrijze kleur als de gestampte aarde om haar heen. Zelfs de doek waarin ze is gekleed is verschoten tot een dorre takkentint. Als de smalle streepjes van haar dichtgeknepen ogen soms even wat wijder worden lijkt het of er licht schijnt in een waterplas.

Yahi verbergt haar afkeer. Deze vale verschoten vreemdeling heeft de onbeschoftheid gehad weg te lopen op het moment dat er een ceremonie zou plaatsvinden.

Frits biedt haar een gouden doek aan, nog mooier dan die Ngunza heeft gekregen. Ze aanvaardt hem zonder plichtplegingen. In tegenstelling tot de meeste inwoners van Womg'bumi verstaat Yahi geen Frans en Frits gebruikt woorden die Babukar in zijn korte schoolopleiding nooit is tegengekomen, maar die laat het natuurlijk niet merken. Hij doet erg zijn best en omdat Yahi zelf helemaal niets zegt, moet Frits er maar het beste van hopen. Hij is wel zo verstandig nog niet te beginnen over zijn eigenlijke doel. Hij toont zijn grote respect voor de oude traditionele geneeskunst van Afrika, die zich zo anders heeft ontwikkeld dan de kennis in de rest van de wereld.

'Wij genezen het lichaam,' zegt Frits, 'en jullie genezen de ziel. Pas de laatste tijd zijn de doktoren bij ons ook de ziel weer gaan bestuderen. En ik denk dat we misschien wel een paar dingen van elkaar kunnen leren.'

Hij laat Yahi mooie geel met witte capsules zien die zijn gevuld met oranje en rode korrels. Hij legt uit wat voor effect ze hebben. Ze krijgt een flesje vol ervan. Dan komt hij met ovale tabletten waar lettertjes in zijn gedrukt.

'Zeg je het vooral goed tegen haar, Babukar? De capsules helpen tegen ontstekingen en de tabletten moet je innemen bij diarrhee.'

Yahi bekijkt het allemaal met belangstelling en dan kijkt ze Frits weer aan met haar eigenaardige spleetogen. Ze laat hem maar praten, totdat ze eindelijk zonder een woord te spreken opstaat en in haar huisje verdwijnt. De lap neemt ze mee en ze laat de tabletten en capsules liggen.

'Wat nu?' vraagt Frits, 'Babukar, ik wil graag wat van haar leren. Heeft ze dat wel begrepen.?'

'Als ze het wil, heeft ze het begrepen,' zegt Babukar.

Ik moet geduld hebben, denkt Frits, geduld, geduld, geduld. Oef, wat een land. Wat een mentaliteit.

En met geduld begint Frits de volgende dag weer van voren af aan. Hij heeft nog een leuk cadeautje achter de hand.

Het is een loupe. Hij heeft eerst gedacht aan een spiegel, maar toen hij zich het uitgedroogde oude vrouwtje herinnerde zag hij er toch maar van af. Een loupe. Oude mensen worden verziend. Het is vast goed aan haar besteed.

Met frisse moed begint hij opnieuw. Hij laat haar zien hoe de lettertjes op de tabletten worden vergroot door de loupe. Yahi schuift ze opzij. Ze vindt dat de witte man zich onbehoorlijk gedraagt. Ze hoeft zijn gladde dingetjes niet en zijn tovertekens nog minder. Waarom dringt hij ze aan haar op. En nu maakt hij ze ook nog groot. Denkt hij dat ze dan beter werken? Denkt hij werkelijk dat zij iemand zou kunnen genezen met dingen van hem? Zomaar dingen waarvan ze de ziel niet kent? Er staan weliswaar magische tekens op, maar een ziel zoals een plant die heeft kan ze er niet in ontwaren.

Vervolgens kan Frits het niet laten de loupe te gebruiken als brandglas. Met de felle zon heeft hij in een ogenblik een paar droge takjes aangestoken. Daarmee jaagt hij de oude vrouw nog erger op stang. Wat een verschrikkelijke ongemanierdheid: vlammen maken op haar erf. Voor het eerst zegt ze iets, met moeite, want ook voor Yahi is gastvrijheid een gebod:

'Babukar, stuur hem weg.'

'We moeten nu weggaan,' zegt Babukar.

'Waarom? Ik wil van haar leren. Dat heb je toch wel uitgelegd?'

'Het is erg moeilijk voor haar.'

Frits wil Yahi een hand geven, maar ze doet zo afwijzend, dat hij niets anders kan doen dan weglopen. Babukar legt hem uit dat Yahi geen geschenken meer van hem wil hebben.

'Wat heb ik dan verkeerd gedaan?'

'Niets,' zegt Babukar, 'Yahi is oud. Oude mensen zijn zo.'

Frits komt moedeloos bij Evelien.

'Kun jij erachter komen, hoe ik haar vertrouwen moet winnen? Zo werkt het toch hier? Ik geef een cadeautje, zij geeft iets terug. Ik ben echt heel voorzichtig geweest. Over speciale ziekten heb ik het niet gehad en nog minder over vrouwen en menstruatie. Maar ik kom geen stap verder. Ik vraag me af of ze wel goed bij haar hoofd is.'

'Ik zal het aan Yéré vragen,' zegt Evelien, 'die schijnt nogal eens met haar op te trekken.'

'Yéré, jij kent Yahi goed, je maakt elke dag de sorghum voor haar klaar. Mijn zwager is ook dokter net als zij. Hij wil met haar praten over het vak. Waarom wil ze dat niet?'

'Ik weet het niet,' zegt Yéré, 'ik weet er helemaal niets van.'

'Ik dacht eigenlijk dat je haar opvolgster was.'

'O nee,' zegt Yéré, 'dat hoop ik niet.'

'Wie zal haar werk doen, als Yahi er niet meer is? Ze is al oud. Ze heeft toch wel een nieuwe medicijnvrouw opgeleid?'

'Als Yahi doodgaat, moeten we een ritueel houden. Dan wijzen de voorouders iemand aan.'

'Hoe moet die iemand dan weten wat Yahi weet?'

'Die leert het van de voorouders net als zij.'

'O Yéré, al die kruiden die ze zoekt, de dranken die ze maakt, jullie maandrank bij voorbeeld. Moet ze haar kennis niet doorgeven?'

'Ik zeg je: ik weet niet wat Yahi doet.'

Evelien merkt dat Yéré het gesprek niet prettig vindt. Ze moet niet doorvragen, maar ze denkt wel door. De voorouders. Ze geloven hier dat die doorleven en mededelingen doen. Of zou het intuïtie zijn. Ze leven zo dicht bij de natuur. Misschien weten de mensen zelf wat goed voor ze is. Zoals vogels niet van vergiftige bessen eten en de kat in bepaalde omstandigheden op gras zit te kauwen. De kat heeft buikpijn, wordt er dan gezegd. Als iedereen al weet welke kruiden goed voor hem zijn, hebben ze helemaal geen medicijnvrouw nodig. Alleen voor de moeilijke gevallen. Dan raadpleegt Yahi dus de voorouders. Zou het recept van de maandrank gewoon aan iedereen bekend zijn? Of? Zou het bij de dood van Yahi verloren gaan. En als de voorouders toevallig eens geen zin hebben het aan haar opvolgster te openbaren?

Evelien heeft al zoveel geleerd en gelezen over inwijdingen en geheime wetenschap dat de uitleg van Yéré haar toch iets te simpel lijkt. Yahi kan wel te lang hebben gewacht met dat deel van haar taak en nu is ze te oud en te eigenwijs om alsnog iemand op te leiden. Iedereen is een beetje bang voor Yahi. Geen sterveling durft haar de wet voor te schrijven, Yéré schrikt al als je iets zegt dat lijkt op kritiek en de hoofdman, oude Ngunza, is niet bepaald een doortastend figuur.

Daar zit Womg'bumi dan mooi mee opgescheept. En Frits ook. Het zou echt heel jammer zijn als het recept van de maandrank verloren zou gaan. Evelien is zelf ook een beetje bang voor Yahi. Ze zou er dolgraag met iemand over willen praten, maar met wie? Ndumbe was een redelijk mens, maar die is er niet. Was Munengo er maar.

13

Over twee dagen is het volle maan. Frits heeft het precies uitgekiend. Omdat iedereen nog denkt dat Evelien binnenkort erbij zal horen, vinden ze het heel gewoon dat ze mee zal doen met de koppendans. Ze is al eerder bij het maanfeest geweest, dus waarom nu niet weer.

'Wil je meedoen? Dat is goed. Dan moet je een kop hebben, Evelien.'

'Wat zeg je?'

'Een kop voor de koppendans. Wij zullen je helpen.'

Ze komt voor het eerst in de donkere ruimte van het vrouwenhuis. Daar ligt een overvloed van staken en sprieten. Er wordt gevlochten, geverfd en gelachen. Zonder enig probleem nemen de zwarte vrouwen Evelien in hun midden op. Ze wijzen haar hoe ze de lange dunne bamboes bij elkaar moet binden. Nog dunnere stengels worden er doorheen gevlochten en tenslotte wordt het wiebelige ding versierd met ogen, oren, tanden en haar van alle mogelijke materialen: steentjes, kreefteschalen, varkensstaarten, grassen, bloemen en zaden. Afschrikwekkende koppen die er al helemaal klaar uitzien worden steeds mooier gemaakt.

De kop van Evelien valt wat scheef uit. Ze kan niet goed omgaan met de raffia en de kleverige lijm droogt langzaam. Het doet er niet toe. Iedereen vindt haar kop prachtig.

'Hij lacht en hij huilt,' zegt Yéré. En Evelien denkt: dat klopt dan wel. Ik doe het ook. Ze is bevrijd van een waanidee, maar het geeft wel een leeg gevoel, dat ze Demba niet meer wil en dat dit vriendelijke dorp met die vrolijke vrouwen niet langer haar veilige toekomst zal zijn.

Als Evelien aan Frits vertelt dat ze bezig is een kop te maken, leeft hij weer helemaal op.

'Ik zal je een lege injectiespuit meegeven om vol te zuigen met toverdrank. Zo'n ding kun je heel makkelijk verstoppen.'

'Okee, ik zal het proberen, maar vermoedelijk ben ik er meteen al te teut voor.'

'Dat ligt aan jezelf,' zegt Frits.

Op de avond van volle maan is het een groot gedrang in het vrouwenhuis. Evelien heeft net als de andere vrouwen een doek om zich heen gewikkeld, maar daaronder draagt ze toch een dun hempje en een short met zakken. De spuit van Frits zit in een pakje tissues verstopt. Ze neemt zich voor: ik wil niet denken aan het ding, ik laat alles over me heen komen en ik neem alleen maar iets mee van de drank als het heel, heel erg makkelijk kan.

Ze helpen elkaar de koppen vast te maken. Het is donker en ze praten alleen fluisterend, want ze zijn al niet meer helemaal zichzelf. De figuren die een voor een het lage gebouwtje verlaten zijn niet Yéré, Yo, Niama en Evelien, het zijn afschrikwekkende koppen die door hun lichaam gedragen worden en hun hoofd zit weliswaar in die koppen, maar dat neemt maar een erg klein plaatsje in. De lege ruimte wordt vroeg of laat gevuld met geest: maangeest, vooroudergeest, bosgeest, wat je maar wilt. Of liever, wie van al die mysterieuze wezens er in wil trekken.

Evelien wil zich er helemaal aan overgeven. Dit is haar laatste kans om de religie van de rimboe te ervaren op de manier van mensen die er thuishoren. Ze heeft gevraagd:

'Moet ik iets doen om de geest toe te laten?'

'Je hoeft niets te doen, het gaat vanzelf. De vorige keer ging het toch ook goed. En je had niet eens een kop.'

'Ik weet er haast niets meer van.'

Yéré lacht. 'Soms vergeet je het, een andere keer blijft het bij je tot de volgende maan.'

Niama zegt: 'Je kunt wel iets doen. Het helpt als je kijkt met de ogen van de kop.'

Evelien loopt voorzichtig over het donkere pad achter Yéré aan. Het grote geval op haar schouders wiebelt. Die anderen kunnen het beter in evenwicht houden, doordat ze gewend zijn zware dingen op hun hoofd te dragen. Ze probeert tussen de gevlochten bamboes door obstakels te zien, boomwortels waarover je kunt struikelen en lage takken die het hoge bouwsel beschadigen. Kijken met de ogen van de kop durft ze voorlopig niet aan.

Boven de heilige boom schijnt de enorme maan. Een grote houtstapel begint juist te branden. Ze moet haar eigen lichtje aansteken met een gloeiende tak. En dan gaat ze in de rij voor het eerste rituele slokje. Yahi, de priesteres, staat waardig, ondanks haar kleine gestalte naast de trog. Ze vult de schep en laat iedereen drinken.

De dans begint, er zijn geen trommels, wel een paar fluiten die afwisselend worden geblazen, want elke fluit heeft maar één toon. De vreemde muziek duurt niet lang, stemmen nemen de melodie over, alleen zo nu en dan klinkt er de schorre zucht van een fluit tussendoor.

Het kost Evelien geen enkele moeite mee te doen: gedichten zingen, kringen zweven, vuurvlammen dansen, de kop wil omhoog, en zachte gele wijn door je handen, je voeten, door vuur naar elkaar en de maan:

'Ooh ah, lali wommo gbumi da, da gbumi da.'

De koppen hebben een glans om zich heen, Yahi is heel groot geworden. Lief klein lichtje aan de kant, mijn eigen lichtje, ik kom er al weer aan.

'Boom, boom, bij ons boom, boven boom, woon boom van de maan.'

Yahi ziet dat het goed gaat, de witte gedraagt zich alsof ze nooit anders heeft gedaan. Yahi heeft nu eenmaal een hekel aan witten, maar waar het precies fout zit kan ze niet vatten. Gelukkig zit er een gunstige gloed om die kop. Het is die ander, de man, die niet deugt. Ze kan maar beter naar huis gaan, ook het dorp is haar zorg. Deze vrouw mag blijven dansen tot haar kop het opgeeft.

De kop van Evelien is een van de eersten die sneuvelt. Een paar zijn al statig rechtop het woud ingelopen. Eentje is tussen twee andere gekraakt. Die kijkt nu scheel vanuit een deuk, maar draait nog mee.

Evelien heeft minder degelijk werk geleverd en bovendien veel meer met haar hoofd geslingerd. Het gevaarte valt plotseling om. Punten prikken in naar gezicht. Geschrokken staat ze stil en ze vindt zichzelf terug. De maan staat laag, de trog is half leeg en het wilde gejoel is afgezakt tot werktuigelijk roepen en dreunen van spreuken. Yahi is nergens.

Nu, denkt Evelien, het kan. Ze plukt de bamboestaken van haar hoofd en hals en loopt naar de wijntrog. Een vrouw neemt een lange teug en keert zich om. Evelien heeft het spuitje al uit haar zak gefrummeld. Het is zo simpel. Even het zuigertje omhoog, met de ene hand stopt ze het spuitje tussen haar kleren, met de andere neemt ze een grote slok uit de holle lepel. Niemand heeft kunnen zien wat ze daar even in de diepte deed, zelfs al hadden ze naar haar gekeken.

Het feest is over, denkt Evelien. De geest is weggevlogen uit mijn kapotte kop. Die is er tenminste niet bij geweest. De geest kan niet aan Yahi overbrieven wat ik heb gedaan. Ik moet nu maar een poosje gaan slapen.

Nog even licht als toen ze danste, loopt ze weg en ze zingt een beetje:
'Wijn in mijn hoofd, wijn in mijn zak,
wijn in mijn kleine spuitje.
Wat Frits ermee doet dat weet ik niet,
maar betere wijn bestaat er niet.
En ik wou het niet en ik wil het niet ,

ik ben een gemene dief.
Ooh ah, lali wommo gbumi da, da gbumi da.
Pad hier, pad daar, waar?'

Evelien staat stil, ze weet bij benadering niet, welke kant ze uitmoet. Daar maar heen, ergens, het donker in.

'En kon ik nou maar kijken met de ogen van mijn kop.
En de kop is kapot, en de ogen zijn kapot
en de geest van de kop kan op de pot.
Ooh ah, lali wommo wommo wommie weg dikke tak. Au!'

Ze valt bijna, voelt nu duidelijk dat ze verkeerd zit en misschien is dat wel erg, maar ze zweeft alweer. Het is gewoon onmogelijk iets erg te vinden.

En dan duikt er opeens een gestalte op, groot en donker. Ze wordt beetgepakt en ze vallen samen op de zachte veerkrachtige grond.

'Eveline, Eveline, ik vind je zo lief.'

Dansen voor de maan leek het heerlijkste wat er bestaat, maar het is niet zo. Wat erna komt is beter, veel en veel heerlijker.

Ik moet dit niet vergeten, denkt Evelien. Het moet bij me blijven tot de volgende maan en nog langer, altijd.

'Je moet altijd bij me blijven.'

'Is het gelukt?' vraagt Frits, 'heb je het?'
'Het is wel gelukt, maar ik ben het kwijtgeraakt.'
'Kwijtgeraakt? Nee.'
'Verloren, ergens in het bos. Het zat in die doek en die is losgegaan.'
'Je had een broek aan met zakken.'
'Had ik, ja.'
'Nou, als je het hebt verloren, ga je het maar zoeken. Met die ouwe heks wordt het toch niks en ik wil hier weg.'
'Ik kan het niet gaan zoeken, Frits. Niet in het heilige bos.'
'O toe nou, Evelien. Er wonen geen voorouders van jou in die bomen. Jij bent toch geen animist of fetishist of wat.'
'Er wonen wel enge beesten en slangen. Ik doe het niet.'
'Dan doe ik het. Is die pot met wijn eigenlijk leeggedronken? Ik kan beter een dikke boom gaan zoeken dan dat kleine spuitje.'
'Ik geloof dat het heel stom is, als je dat zou gaan doen.'
'Het is stom om het te verliezen.'
'Ja Frits. Het spijt me.'
'Iets anders. Munengo is gekomen.'
'Ik weet het.'

'Hè? Hoe kun jij dat weten? Hij kwam gisteravond heel laat.'

'Ik kwam hem toevallig tegen.'

'Zo.'

'Frits, als je het niet erg vindt, ik ga naar het riviertje. Ik wil in bad.'

Dromerig wandelt Evelien naar het water, spetterend lauw water. Ze blijft er een hele tijd, laat zich opdrogen en trekt het dunste katoentje aan dat ze heeft. Dan wandelt ze terug, traag in de hitte, stapje voor stapje, totdat ze Munengo tegen komt. Hij doet niet alsof hij haar overdag niet kent. Hij strekt zijn beide handen uit. Bij een klein zijweggetje heeft hij op haar gewacht. Ze lopen dicht tegen elkaar aan en komen uit bij het riviertje, wat hoger op. Een paarse orchidee hangt in een boom erboven.

'Munengo, je moet altijd bij me blijven.'

Wat in de nacht het heerlijkste leek, kan toch nog beter als je helemaal bewust zelf erbij bent.

Later, een uur, een dag of een eeuwigheid later zegt Evelien:

'Ik begrijp er niets van, Munengo. Echt niet. Jij bent het helemaal. Hoe komt het dan dat ik zo verliefd werd op Demba?'

Munengo met zijn arm veilig om haar heen kan het eindelijk zeggen: 'Ik hield meteen van jou, maar wat kon ik? Een zwarte man. Ik weet te goed hoe de witte mensen tegen ons aankijken. Ik liet het niet merken. Maar Demba had het meteen door. Hij heeft altijd willen hebben wat ik heb, omdat hij jonger is dan ik, hoewel zijn moeder de eerste vrouw was van mijn vader. Hij heeft al zijn zinnen ingezet. Een vrouw valt daarvoor.'

'Ik wilde Demba en ik wilde altijd in Womg'bumi blijven.'

'Hij deed dat met jou.'

'En nu hij met Noliyanda is getrouwd, heeft hij me losgelaten?'

'Hij houdt veel van Noliyanda, maar of hij je heeft losgelaten? Ik geloof het niet. Het hele dorp denkt dat jij zijn tweede vrouw zal zijn.'

'Ik wil het niet meer. Ik wil jou.'

Munengo klemt haar nog dichter tegen zich aan. Hij vertelt niet, hoe hij is geschrokken van haar kleine briefje in het hotel. Hij is halsoverkop naar Womg'bumi gereisd om tenminste op tijd te zijn voor de nacht van de volle maan, voor de kleine kans dat ze mee zou doen met het feest, waarbij verwaarloosde vrouwen, overgeschoten mannen en wie er maar zin in heeft hun hart kunnen ophalen. Een kans om een keer bij haar te zijn, voordat ze onherroepelijk aan Demba zou worden beloofd.

Frits begrijpt niet waar Evelien blijft. Hij wil haar laten weten dat hij nu het bos in gaat. Maar het duurt hem te lang. De traagheid hier werkt averechts op hem. Hij wordt er ongeduldig van. Ze zal het wel begrijpen. Hij overtuigt zich dat oude Yahi in haar hutje zit en loopt het dorp uit. Langs een omweg komt hij achter het vrouwenhuis en vandaar is een duidelijk pad. Met een kwaad geweten kijkt hij een paar keer achterom, dan weer angstig om zich heen: slangen en enge beesten? Maar al gauw heeft hij al zijn aandacht nodig om de weg te vinden. Er blijken meer paadjes te zijn en hij komt nogal wat platgelegen plekjes tegen. Vreemd voor een bos waar niemand mag komen. Frits weet niets van de hoogtepunten van het feest.

Tenslotte wijst de geur van het uitgebrande vuur hem waar hij wezen moet. De baobab is zo dik als hij nog nooit in zijn leven een boom heeft gezien. De wortels lopen ver naar alle kanten als hoge drakenruggen en de kroon beschermt als een tempel de gewijde plaats. Hij ziet de zwarte vlekken rondom waar de lichtjes hebben gebrand, de ruime vlakte waar zoveel voeten hebben gedanst en hij ziet de trog, een uitgeholde stam, zwart en geweldig.

Er ligt een laagje geel troebel vocht in te gisten. Smerig, denkt Frits. Zou de samenstelling ooit te achterhalen zijn, als dit nog een paar dagen doorgaat met bederven?

Het enige wat hij kan doen is zijn flesjes vullen, hij heeft voor alle zekerheid twee flesjes. In een ervan schept hij vooral vloeistof en in het andere doet hij flink wat drab en plantenresten van de bodem. En dan weg. Weg uit dit toch wel gevaarlijke woud, en weg uit Womg'bumi met het vieze geknoei in de zwartgeblakerde pannen op de grond.

Maar eerst het dorp terugvinden. Omzichtig scharrelt hij tussen de bomen, staat telkens stil om te luisteren, want de richting weet hij wel ongeveer, maar niet precies. Er schreeuwen vogels, geen kinderen, geen gelach van vrouwen. Pas na drie kwartier kuiert hij schijnbaar onverschillig naar het huisje waar hij logeert.

Frits rolt de flesjes in een onderbroek in een plastic tas in een leeg étui van een camera in zijn koffer. Dat zit, een recept was beter geweest, maar hij heeft in elk geval niet voor niets de reis gemaakt. Nu eerst Evelien opzoeken en dan moeten ze natuurlijk die oude zeurpiet goedendag zeggen.

'Maar ik ga vandaag,' zegt Frits hardop, 'al moet ik op het plein voor het postkantoortje overnachten.'

Evelien is nergens te zien. Eindelijk vraagt Frits naar haar. Ze is met Munengo naar zijn moeder gegaan. Na enige aarzeling stapt Frits daar ook naar binnen.

'Wat spook je toch allemaal uit?' vraagt hij, 'Ik loop al uren naar je te zoeken.'

'Hier ben ik, waarom zoek je mij?'

'Ik vind dat het tijd wordt om weer eens te vertrekken.'

'Nu? Vandaag nog?'

'Ja nu.'

Evelien kijkt Munengo even aan.

'Hij gaat met ons mee, Frits. Ik weet niet of dat wel zo plotseling kan.'

'Hrrm. En waarom dan wel niet?'

Munengo lacht. Evelien zegt: 'We zijn hier op visite.'

Ze drinken zoete thee en Frits krijgt ook een glaasje.

De moeder van Munengo spreekt vrij goed Frans.

'Ik zie hem maar weinig,' zegt ze. 'Hij is de laatste tijd zo stil. Ik denk dat hij nu weer vrolijk zal zijn zoals vroeger.'

'We moeten echt weg,' zegt Frits.

Onbeschoft, vindt Evelien.

'Ga maar. Ik houd je niet tegen.' Munengo lacht opnieuw, maar zijn moeder zegt: 'Het is wel goed, dat je nu weggaat. Ik denk dat Demba erg boos zal zijn.'

Frits begrijpt niet wat Demba ermee te maken heeft, maar hij past er wel voor op vragen te stellen. Hij is veel te blij dat de glaasjes worden leeggedronken en met een soort buiging en 'zeer bedankt' gaat hij als eerste naar buiten.

Dan naar Ngunza. Frits verzint een paar goede wensen. Het dringt pas tot de oude man door dat het een afscheid is als Frits van het toneel verdwijnt. Van Evelien wordt niets verwacht. Ze kan gaan pakken.

Maar Munengo blijft nog bij zijn vader. Hij moet hem nu vertellen dat hij samen met Evelien vertrekt en al zijn rechten aan Demba laat.

Eigenlijk hebben ze allebei wel gevoeld dat het er toch eens van komen zou. Munengo was er nog niet aan toe en Ngunza helemaal niet. Hij is erg teleurgesteld.

'Het is verkeerd geweest, dat ik je uit Womg'bumi weg heb laten gaan,' zegt hij, 'alles is verkeerd gelopen. En die witte mensen. Wat wilden ze nu eigenlijk? Ik begrijp ze niet.'

Evelien heeft haar tas in een ogenblik gepakt. Ze loopt nog even rond om de mensen goedendag te zeggen die ze wat beter kent, terwijl Frits ongeduldig staat te wachten. Munengo vertrekt zonder begroetingen, want hij hoort er hier nu niet meer bij.

Pas later wordt het aan Demba verteld.

'Weg? Evelien weg? Met Munengo! Hahaha, ik krijg haar toch wel. Munengo woont in Oudougoangi. Daar is opstand en onrust. Ze schieten Munengo dood en dan is ze van mij.'

Frits loopt voorop, tenminste in het begin van de wandeling naar Mwaka. Evelien zegt niet veel. Ze heeft het idee dat ze gelukkiger is dan ooit in haar hele leven. Munengo praat. Hij is vrolijk, weet iets bijzonders van alles wat ze zien en tussendoor vertelt hij fabels.

Tegen de avond bereiken ze het dorp en inderdaad, ze moeten overnachten, niet voor het postkantoor maar er in. Een hotel heeft het kleine plaatsje niet en ook geen taxi. Munengo heeft het al zo vaak meegemaakt. Als hij alleen was zou hij vroeg in de ochtend verder gaan lopen, net zolang tot er toevallig een vrachtauto de goede kant uitgaat en hem mee wil nemen. Met Frits en Evelien moet hij wachten. Ze delen weer eens een papaya en schuilen voor de zon. Pas om vier uur in de middag kunnen ze mee met de postauto. Dan is ook Munengo zwijgzaam geworden.

Na Mbongue wordt de reis wat comfortabeler. Een douche, een uitstekende maaltijd in het hotel en, al zijn ze oud en doorgezakt, echte bedden. Frits overtuigt zich dat zijn flesjes in orde zijn en gaat slapen. Evelien en Munengo kruipen bij elkaar en ze praten nog heel lang.

'Waar zullen we wonen?' vraagt Evelien, 'Ga jij weer terug naar Womg'bumi?'

'Nee... Ik weet niet waar ik zal wonen, Evelien. Ik heb geen huis, ik heb niets.'

'Dan moeten we samen iets verzinnen. Ga mee naar Sougouni, daar kun je ook gids worden of iets anders. In het begin kunnen we best leven van wat ik verdien.'

Hij wil het niet.

'Later misschien. Ik kan hier niet weggaan.'

Zoals overal in Afrika rommelt het in Gondom. De oude president wil democratie invoeren, een beetje democratie. Al te veel ziet hij niet zitten. Hij heeft adviseurs gekozen uit alle lagen van het volk en, wat nog uitzonderlijker is, van alle verschillende stammen die er wonen. Munengo is er een van. Hij heeft een zeker aanzien, omdat hij in Europa is geweest.

'Dat is geen democratie,' zegt Evelien. 'alleen als de adviseurs door het volk zijn gekozen.'

'Het is een begin. Er zijn nog geen partijen, maar eerst had hij alleen een raad van familieleden en mensen uit zijn eigen stam. Nu hoort hij ook eens wat anders. Eigenlijk gaat het precies als in Womg'bumi. De president laat de vergadering praten en dan doet hij wat hij zelf wil. Het werkt niet zo slecht, want we hebben een goede president, maar een land is niet zo overzichtelijk als een klein dorpje en we zijn natuurlijk een arm land. Er worden dingen besloten en later blijkt dat het gewoon niet kan. Dan worden de mensen boos, vooral nu ze denken dat ze zelf iets te zeggen hebben.'

'Moeilijk.'

'Och, dat gaat wel.'

Tegen een president kun je niet nee zeggen. Als Munengo zijn baantje laat schieten, hoeft hij nooit meer terug te komen. Hij heeft zijn rechten in Womg'bumi verloren. Hij wil niet ook nog zijn land verliezen.

'Het is al mooi dat hij zich president noemt,' zegt Evelien, 'en niet koning. Is het veel werk? Doe je het met plezier?'

'Als ik het goed wil doen, is het veel, ja, en ik doe het graag, maar ik verdien er niets mee. Ik zei het al, Evelien: ik heb geen huis en ik heb ook geen geld. Als gids kon ik behoorlijk rondkomen, maar daar heb ik nu minder tijd voor. Ik kan zo nu en dan in het hotel werken. Afwassen of zo, want het is beter dat de gasten me niet zien. Er logeren mensen die bij de president op audiëntie gaan en soms ben ik daar dan ook.'

'Dat is absurd.'

'Ja, dat zal wel. Die raad van familieleden bestaat nog. Ze hebben alle officiële functies. Wij hangen er zo'n beetje tussenin.'

Evelien vindt het moeilijk zich zijn leven voor te stellen en hoe het verder moet met hen beiden weet ze niet, maar ze maakt er zich niet druk om, nog niet. Ze heeft niet veel uitgaven in Sougouni, maar ze neemt zich voor nog zuiniger te worden. Munengo trekt keurige Europese kleren aan, voordat ze in de laatste taxi stappen en dan regelt hij voor haar en Frits nog dezelfde dag een vlucht naar Sougouni. Hun afscheid heeft veel bekijks bij de omstanders, maar dat merkt tot zijn ergernis alleen Frits.

De volgende dag is Evelien alweer in haar kleine kantoortje. Balop is blij dat ze terug is, er ligt een berg werk op haar te wachten.

'Hoe doe je dit en hoe moet dat?' Dingen die hij voorheen altijd zelf heeft moeten oplossen laat hij nu al gauw aan haar over. Evelien valt er direct op aan. Ze wil de tijd inhalen die haar eigenlijk niet toekwam. Het zaakje moet goed gaan lopen. Aan het eind van het jaar moet blijken dat ze een uitstekende kracht is geweest. Het kan nodig zijn dat ze het werk dan voortzet, want zonder geld kan ze met Munengo niet leven en zonder hem wil ze nu al niet meer, maar het is twijfelachtig of ze in Gondom een baantje kan krijgen. Evelien is vol werklust. Frits moet het verder zelf maar uitzoeken.

Hij kan door een opengevallen plaats al een dag later doorreizen. Evelien wenst hem veel succes en groeten aan iedereen. Dan haast ze zich weer naar haar kantoor.

Die is veranderd, constateert Frits. Je hoort altijd dat mensen lui worden in de tropen, maar zij is hier een stuk actiever dan ik haar ooit heb gezien.

Hijzelf probeert zich te ontspannen. Op de harde vloeren heeft hij geen enkele nacht goed kunnen slapen en het was veel te heet. Morgen weer thuis. De kannibalen hebben hem niet opgevreten. Rozemarie kan tevreden zijn. Of hij zelf tevreden kan zijn, is niet zo zeker. Hij bestudeert geregeld zijn flesjes. Het gisten is opgehouden en de vloeistof ziet er tamelijk helder uit, maar wat een chemicus ermee kan is nog de vraag.

De camerahoes met inhoud houdt hij bij zich in het vliegtuig. Zo ongeveer boven de Sahara sukkelt hij in slaap. Twee kleine plopjes in de bagageruimte boven zijn hoofd in zijn tas in het étui enzovoort kan hij onmogelijk horen.

's Morgens vroeg om half zeven is Rozemarie op Schiphol om Frits af te halen. Het is koud en het regent.

'Wat een rotweer.'

'Heb je genoten van de warmte?'

'Nou nee, dat ook weer niet.'

Rozemarie is met de beste voornemens op weg gegaan. Waarom heeft hij nu geen beter humeur? Door de telefoon heeft ze al gehoord dat hij de gewenste drank wel heeft kunnen krijgen, maar het recept ervan niet. Zou het voldoende zijn? Nog niet ernaar vragen, later maar.

'En hoe is het met Evelien?'

'Evelien maakt het uitstekend. Ze gaat met al die kerels naar bed, als ze maar zwart zijn.'

'Frits!'

'Het zijn prachtig mooie mannen, dat zul je moeten toegeven, Rozemarie.'

'Evelien gaat niet met alle mooie mannen naar bed.'

'Goed, met een paar dan.'

Rozemarie wil niets meer horen. Langs de zwiepende ruitenwissers houdt ze haar aandacht bij de weg. Ze hebben twee uur nodig om thuis te komen. Het eerste wat Frits doet is zijn tas openmaken, de camerahoes zit nog net zo tussen zijn kleren, als hij hem erin heeft gestopt, de douane heeft er geen belangstelling voor gehad. Hij opent het étui, de plastic zak is vochtig en in zijn nette witte onderbroek zitten gênante geelbruine vlekken. De flesjes zijn opengesprongen door de lage luchtdruk in het vliegtuig. In een ervan zit nog een restje modderig sediment.

Frits weet niets beters te doen dan het meteen weg te sturen naar een pharmacoloog die hij nog kent uit zijn studietijd. Aangetekend, dringend, persoonlijk en expresse.

De volgende dag belt zijn vriend hem op.

'Wat moet ik met je soepje?'

'Uitvinden wat er inzit.'

'Dan moet ik wel een indicatie hebben van wat het zou kunnen zijn.'

'Het was palmwijn met tropische kruiden.'

Frits legt uit hoe belangrijk het is en waarom.

'Ik begrijp het. Maar het is onbegonnen werk. Ik weet niet naar welke stof ik moet zoeken. Er zit niets herkenbaars bij. Een plant heeft zoveel ingrediënten, de wortel weer andere dan het blad of de vrucht. Zijn die kruiden gekookt, gefermenteerd, heeft de een een reactie gegeven op de ander?'

'Als er iets in zit dat op ermetrine lijkt, is dat het werkzame middel.'

'Sorry Frits. Je overschat onze capaciteiten.'

En dat was dat.

Rozemarie wil zijn ervaringen horen.

Het is een klaagzang over slechte wegen, haperend vervoer, harde bedden, hete zon en ongenaakbare zwarte mensen.

'Ze lachen allemaal, maar je weet niet of ze je in je gezicht uitlachen of proberen aardig te zijn. Je kunt er niks mee, helemaal niks.'

'En nu Evelien.'

'Ze heeft het daar goed naar haar zin, geloof ik.'

'Wat doet ze echt, Frits?'

'Ik heb er niet naast gezeten. Ze was immers zo verkikkerd op die ene jongen.'

'Demba.'

'Juist, Demba bleek getrouwd te zijn en Evelien heeft zich de volgende dag gestort in een eh, verstandhouding met Munengo. Nou ja, verstand komt er niet aan te pas. Zolang ze zich niet aan mijn nabijheid onttrokken, deden ze niet veel anders dan in elkaars ogen zwemmen. Ik vond dat niet prettig.'

'Evelien is gauw van de kook.'

'Ja, en in Sougouni heeft ze een zekere Balop, een dikke. Ik heb even met hem kennis gemaakt in haar kantoortje. Het is een naargeestig hok, maar ze was al naar hem toe, voordat ik kwam ontbijten. Gisteren heb ik haar de hele dag bijna niet gezien. Zo zit het dus.'

Rozemarie denkt: was hij maar nooit gegaan. Alles mislukt en mijn arme kleine zusje. Een dikke zwarte man in een naargeestig hok.

Als er in Womg'bumi iets gebeurt, weet Yahi meestal precies wat er aan de hand is, voordat de voorouders er aan te pas hoeven te komen. Ze doorziet de streekjes, de kleine ongeregeldheden en de grote jaloezieën, want ze kent iedereen. Het zit haar dwars dat ze niets kan begrijpen van de witte mensen. Ze heeft gehoord dat ze alweer zo plotseling zijn vertrokken, maar de bedoeling van hun komst is haar volledig ontgaan.

Ze moet eerst maar van hun geschenken zien af te komen. Yéré krijgt de gouden doek en Babukar mag de loupe hebben. Wat er met de capsules en tabletten moet gebeuren is moeilijker. Vooral de tabletten met lettertjes zijn een probleem. Vuur zal de kracht die erin zit verspreiden en water ook. Niet dat ze zo'n hoge dunk van die krachten heeft, maar ze zijn onbekend en Yahi wil wel weten wat ze doet. Uiteindelijk besluit ze de ellendige dingen te begraven. Op een plaats waar zeker nooit een huis zal komen te staan.

Pas een paar dagen later gaat ze weer naar het heilige bos. Ze draagt een kruikje water mee en een bezem van geurige takken die ze alleen daar gebruikt. De wijntrog moet nu wel leeg zijn, wespen en vogels hebben zich tegoed gedaan en de rest is opgedroogd. Ze zal de bodem schoonvegen en er de heel speciale kruiden inleggen die ze daar in de buurt weet te staan. Ze worden begoten met helder water, toegedekt met bananenblad en over een week of drie zijn ze rijp. Pas op het allerlaatst gaat de verse palmwijn erbij die door mannen uit hoge bomen is getapt. Dan neemt Yahi een groepje meisjes mee van een jaar of tien. Ze moeten de kruiken wijn dragen, de dansplaats schoonvegen en een brandstapel bouwen van hout uit het bos.

Precies op het ogenblik dat de maan verschijnt, roert Yahi dan nog de laatste ingrediënten door de wijn.

In de regentijd blijft de omgeving van de trog even kliederig als tijdens het feest. Nu is de grond eromheen gedroogd tot harde korsten, waarin de voetstappen nog zijn te zien. Yahi bekijkt met aandacht de afdrukken. Bijna allemaal zijn ze breed met gespreide tenen, een enkele platte van een slipper is erbij. Maar er is ook iets vreemds: brede vlakken vol bobbeltjes met een hak.

Ze ziet nog duidelijk voor zich hoe de witte man tegenover haar zat en met zijn rare grote schoenen geen raad wist. Eindelijk, eindelijk heeft Yahi hem door.

Een bittere woede vervult haar. Ze is bedrogen. Haar achterdocht is terecht geweest. En het ergste: hij heeft het heilige woud ontwijd.

Eerst blijft ze lange tijd heel stil staan. Dan bergt ze de waterkruik en de bezem zorgvuldig tussen de varens. Ze dekt de kruik af met een blad en ze gaat nog een paar grote soepele bladeren zoeken. In haar doek gestoken draagt ze altijd een scherpe rietnerf waarmee ze kruiden snijdt. Ze hurkt voor de trog en begint met die nerf heel voorzichtig de voetafdrukken los te maken. In stukjes en brokjes worden ze op de bladeren gelegd. Tenslotte vouwt ze er een net pakketje van en draagt het als een kostbare schat naar huis.

Dan doorzoekt ze op handen en voeten de hut waar Frits heeft geslapen. Haar spleetoogjes glinsteren kwaadaardig voldaan als ze een overhemdsknoopje vindt.

En tenslotte graaft ze alle pilletjes weer op die ze zo grondig heeft willen vernietigen. Ze zijn verweekt en uit elkaar gevallen, maar toch herkenbaar. Samen met het knoopje en de aarde waarin zo keurig de schoenen van Frits stonden gemodeleerd pakt ze de restanten in een verse kattenhuid die ze vervolgens met kleine steekjes dichtnaait.

Het wordt een rechthoekig kussentje en daarmee gaat Yahi van nu af aan elke dag een poosje zitten toveren.

14

Munengo heeft het te druk met zijn baantje bij de president om er nog vaak met toeristen op uit te gaan. Er komen ook minder toeristen nu het onrustig begint te worden in Gondon. Hij woont in een garage samen met een verroeste Chevrolet die nooit meer zal rijden. s' Avonds studeert hij er bij een olielampje. Een kwartier verderop in een huisje met een kraan kan hij zich wassen en de vrouw die er woont met haar gezin, verzorgt zijn kleren. Hij eet waar het uitkomt, op de markt, bij een bekende en ook wel eens in het paleis samen met de gasten van de president.

De ene dag is Munengo in niets te onderscheiden van de talloze jonge Afrikanen die werkeloos met blote voeten in hun versleten slippers door de stad slenteren, de andere dag is hij een belangrijke meneer. Van zijn vrienden heeft hij bijna alle mooie pakken gekregen die ze in Oostenrijk droegen, want in Womg'bumi heeft niemand er iets aan. De afwisseling amuseert hem, maar met zijn verdiensten is het zo goed als afgelopen.

In begin overviel hem nog wel eens het verlangen naar bomen en rust, maar dat is overgegaan.

Hij mag voor zijn werk gebruik maken van typemachines, papier, de telefoon en zelfs als het nodig is van glimmend gepoetste auto's. Maar hij zorgt er angstvallig voor niet toe te geven aan de glamour die het rijden in een dure staatsauto verleent. Een simpele manier van leven bevalt hem het best.

Het is nog maar een paar jaar geleden dat Munengo met groot ontzag en verbazing kennismaakte met de wonderen van de techniek. Maar het zijn niet die dingen die het leven in de stad voor hem aantrekkelijk maken. Hij wil mensen zien, veel verschillende mensen en hij wil heel veel leren. Radio interesseert hem niet, televisie weinig en de telefoon wordt uitgebreid gebruikt door belangrijke personen, maar niet door hem. Mobiele telefoons werken nog niet in Oudougoangi.

Toch heeft hij direct het nummer van Eveliens hotel opgezocht. Twee dagen lang blijft het door zijn hoofd spelen, voordat hij durft toe te geven aan de verleiding haar op te bellen. In het vertrek waar hij zijn verslagen maakt, werken ook anderen en zelfs als hij er alleen is, stapt er vaak genoeg iemand binnen. Alle mogelijke mensen lopen rond in het grote paleis. Tenslotte besluit Munengo er op een avond heen te gaan, zogenaamd om een werkstuk af te maken. Hij toetst het nummer en het gaat zo makkelijk. De receptionist van het hotel verbindt hem door en dan is er opeens haar bekende stem. Emotie vliegt als een vloedgolf door hem heen. Ze is meer dan duizend kilometers weg en het voelt zo dichtbij.

'Eveline, ik ben het.'

Ze praten een kwartier met elkaar. Munengo vergeet waar hij is. De stem komt met alle nuances, met adem en al regelrecht bij hem naar binnen en het verwart en ontroert hem hevig.

Tenslotte sluipt hij stil het paleis uit. Evelien gaat als een heldere droom met hem mee. Hij onthoudt nauwelijks waarover ze het hebben gehad. Natuurlijk moet het dan nog eens gebeuren. Op dezelfde steelse manier.

Het is niet de bedoeling dat iedereen in het paleis maar privégesprekken gaat voeren. Munengo heeft nooit misbruik gemaakt van de faciliteiten die zijn baantje hem oplevert. Hij zou het erdoor kunnen kwijtraken en hij vindt ook dat het niet hoort. Als hij voor de derde keer heeft toegegeven aan zijn verlangen naar de spanning en opwinding van het bijzondere contact besluit hij het dan maar op te biechten.

De president is een massieve man met een doorgroefd gezicht. Hij heeft de gewoonte zijn gesprekspartners recht aan te kijken, alsof hij zo ook de gedachten kan zien die achter hun woorden zitten. Munengo vertelt hem dat hij een paar telefoongesprekken voor zijn eigen genoegen heeft gevoerd. De grote man vindt het onbelangrijk. Hij wacht af wat er nog meer komt.

'Ik heb een vriendin.'

Een vriendin. De president heeft een groot vertrouwen in Munengo gekregen. Bescheiden, correct, vlug van begrip. Moet een vrouw dat nu allemaal komen verpesten? Vrouwen willen aandacht, ze kosten geld, ze jagen de mannen op stang. Voor zo lang het duurt. Als ze er genoeg van hebben, heeft de man een nieuwe nodig. Jammer, heel jammer van deze goede kracht.

'Wat zijn de plannen?'

Munengo weet het nog niet. Daar heb je het al.

'Ze heeft een contract voor een jaar in Sougouni en daarna zullen we de mogelijkheden bekijken.'

'Ah zo. Je hebt dus getelefoneerd met Sougouni. Wat doet ze daar?'

Als Munengo vertelt wat ze doet, waar ze woont en van welke nationaliteit zijn geliefde is, verandert er iets in het strakke gezicht tegenover hem. De president kijkt hem nog doordringender aan dan gewoonlijk.

'Nederlands. Is ze blond?'

'Lichtblond en lang.'

'Telefoneer nog maar eens een keer. Je moet haar uitnodigen voor een lunch. Ik wil haar zien.'

Munengo rent niet direct naar de telefoon. De president heeft makkelijk praten: 'Nodig haar uit voor een lunch'. Alsof Evelien zomaar even heen en weer kan komen vliegen. De uitnodiging moet wel iets duidelijker zijn en dan nog. Munengo weet niet zeker of hij het wel zo prettig vindt dat deze machtige man zijn vriendin wil zien. Wat wil hij met haar?

Een week later kan hij er niet meer onderuit. Hij krijgt de opdracht een vliegreis te organiseren en een kamer in het hotel. Zondag om twaalf uur worden ze samen in het paleis verwacht.

Als ze het hoort vraagt Evelien meteen: 'Wat wil hij van mij?'

Munengo kan er geen antwoord op geven.

'Hoe gaat het daar toe? Wat moet ik tegen hem zeggen? Munengo, wat moet ik aantrekken?'

'Je hoeft alleen maar gewoon te doen.'

'Hoe is gewoon? Wat is het eigenlijk voor een man?'

'Je zult hem sympathiek vinden.'

Munengo heeft er wel voor gezorgd dat hij alleen is, maar hij durft absoluut niet vrijuit over de president te praten. Het is te hopen dat ze dat begrijpt. Hun gesprek duurt niet lang deze keer.

'Over drie dagen zal ik je zien.'

Drie dagen. Evelien zit ermee. En dan bedenkt ze opeens: als je ergens mee zit, ga je naar de ambassade. Natuurlijk, daar weten ze overal raad op.

De jonge man die in eerste instantie al zijn landgenoten in moeilijkheden moet ontvangen, leeft zichtbaar op, als hij hoort waarvoor ze komt. Hij begint ook al over 'gewoon doen'. Maar Evelien verlangt détails. Er bestaat toch zoiets als hofétiquette, juist bij die nieuwe rijkjes. Dan bedenkt hij:

'Je moet met Barbara praten. Zij is een diplomatendochter. Ze weet alles.'

Barbara is wat ouder dan Evelien. Het blijkt dat ze Erica kent en dat maakt het contact meteen vertrouwelijk.

'De president van Gondom. Wat leuk voor je. Hij is een lieverdje,' zegt Barbara.

En dan komen de adviezen.

'Zeg maar excellentie tegen hem zo vaak je kunt. En je moet dat soort mensen nooit tegenspreken. Niet direct nee zeggen dus. Altijd een slag om de arm.'

'O, en ik moet zeker alles opeten. Denk je dat er enge dingen worden geserveerd op zo'n lunch?'

'Enge dingen niet. Tenminste, dat hangt ervan af. Er zijn mensen die vinden een doodgewone vis al eng. Waarschijnlijk is het erg lekker en veel te veel.'

'Moet ik hem iets aanbieden? En kan ik erheen in een broek? Of moet ik er een jurk voor kopen en waar?'

'Hm. Dat is lastig. Misschien... Kom vanavond naar mijn flat. Ik denk dat ik je iets kan lenen. Je moet er leuk uitzien en de weinige dingen die hier te koop zijn staan jou niet.'

Evelien heeft niet veel kleren meegebracht, er is niets bij om in uit te gaan. Barbara ziet er bij haar werk al mooier uit en ze heeft pakjes, jurken en zelfs hoeden voor elke gelegenheid.

'Zoek maar wat uit, ik draag die dingen zo weinig.'

Evelien mag een lichtblauwe jurk lenen van katoenen voile bedrukt met slierten heel kleine wit met groene bloemetjes. Uit zichzelf zou ze nooit zoiets aantrekken.

'Hij staat jou veel mooier dan mij, omdat je zo blond bent. Meneer de president zal zeer onder de indruk zijn.'

Barbara heeft niet gevraagd, waaraan Evelien haar uitnodiging heeft te danken. Nu ze zo behulpzaam is, vindt Evelien dat ze het haar moet vertellen: ze heeft een vriend in Gondom.'

'Een Hollander? Wat doet hij? Ontwikkelingswerk?'

'Nee, hij is Afrikaan.'

'O Evelien, dan moet je oppassen. Echt hoor. Hij bezorgt je een uitnodiging aan het hof en voor je het weet zit je in de narighcid. Ze zijn.., ik wou zeggen, ze zijn niet te vertrouwen, maar dat klinkt zo cru en zo is het ook niet. Hij zal je niet bewust bedriegen, maar hun mentaliteit is gewoon anders.'

'Dat heb ik al meer gehoord.'

'Och natuurlijk. Waar bemoei ik me mee. Je weet zelf het best waar je mee bezig bent.'

'Ja.'

'Ik heb ook wel iets voor je om cadeau te geven, maar in dit geval: overdrijf het vooral niet.'

Barbara heeft voor onvoorziene omstandigheden een aantal dure en minder dure souvenirs meegebracht uit Holland.

'Je mag een van die dingen overnemen. De prijzen zitten er nog op. Ik vul het te zijner tijd wel weer aan.'

'Het is stom dat ik zelf niets heb, maar ik kon niet voorzien dat er ooit zoiets zou gebeuren.'

'Dat weet je nooit, en zeker niet in Afrika.'

Evelien kiest een schotel van delfts blauw, want met een asbak of een lepeltje kun je bij een president niet aankomen. Barbara is het met haar eens, maar ze zegt toch:

'Ik heb je gewaarschuwd. Hij vraagt je de volgende week weer.'

'Barbara, ik ben je meer dan dankbaar.'

'Veel plezier met de vriend.'

Evelien krijgt een vipplaats in het vliegtuig met alle attentie die daaraan vastzit. Op het luchthaventje wacht Munengo in de zon in een lichtgrijs pak met das en al. Hoe houdt hij het uit? Maar in de hofauto waait gekoelde lucht. Evelien voelt zich opgelaten als ze achter een chauffeur in uniform door de armoedige straten zeilt langs dode huizen, vervallen muren en kartonnen winkeltjes. Er is één brede boulevard, daar ritselen de palmen voor het monumentale postkantoor, gloednieuwe bankgebouwen in marsepeinkleuren staan aan weerskanten van het oude hotel. Aan het eind ligt in een park het paleis. Dat is door de Fransen gebouwd in andere tijden net als het hotel.

Evelien is al in het hotel geweest met Frits. Ze heeft de gewelfde eetzaal gezien, waar ventilatorwieken zwaaien boven gebeeldhouwde stoelen van onverwoestbaar hout, ze hebben in de koele marmeren lounge hun briefje geschreven in moderne meubelen die minder onverwoestbaar zijn. Maar de slaapkamers hebben ze niet gezien. Een hikkende lift brengt hen een verdieping hoger. Ze krijgt kamer 1, want ze is een gast van de president.

Het hele vertrek is betimmerd met donker hout, de vloer is bedekt met verschillende huiden, enkele met de kop er nog aan. De meubelen zijn van zwart gelakt pitriet, en vanaf het immens hoge plafond hangt een klamboe over het bed dat als een gigantische poppenwieg in het midden staat.

De jongen zet zorgzaam Eveliens bescheiden reistasje op een rek. Hij krijgt een muntje van Munengo.

'Wenst u nog iets?'

Ze wensen hem alleen maar weg, de klamboe waait op en ze liggen er al onder, verstrengeld in een gordiaanse knoop.

'We gaan vanavond dansen, Evelien,' zegt Munengo, 'ik ben nog nooit met jou naar een Afrikaanse dans geweest.'

Ze eten een goedkope schotel in een parkje en wandelen in de tropische avondlucht naar de zaal. De mensen stromen naar binnen, veel, erg veel, bont gekleed en jong. Er wordt bier en limonade gedronken. De ruimte is kaal, de bar een rommelig staketsel van planken, een zee van dofzwarte hoofden golft mee met de alles doordringende muziek. Onvermoeibaar spelen vijftien zwetende mannen en een dikke zangeres.

Evelien kijkt en luistert en ze blijft dicht bij Munengo, want ze voelt een dreiging van de donkere massa uitgaan. Langzamerhand wordt ze in het ritme opgenomen. Ze hoeft niet meer te luisteren met haar oren, want de muziek zit nu van binnen en de flitsende en glanzende ogen, de schokkende lijven om haar heen worden net als zijzelf een deel van één groot levend wezen met het stampende hart van de drums. Afrika.

In de nacht, alleen in de geheimzinnige zwoele sfeer van haar hotelkamer begint ze pas weer te denken. Dansen met een man waar je van houdt, op- nee ondergaan in de muziek, heerlijk toch. Wat is het dan geweest dat haar vanavond heeft bang gemaakt? De waarschuwing van Barbara: Pas op, ze zijn niet te vertrouwen. Altijd: ze. Alsof 'ze' allemaal hetzelfde zijn. Al is er maar één die ze wel kan vertrouwen dan is dat haar Munengo. Toch heeft zijn wereld, waartoe ze zich zo voelt aangetrokken, iets zeer beangstigends. Vanavond voelde ze dat eigenlijk voor het eerst heel duidelijk. Een massa die zich als een organisme beweegt. Als er een zou beginnen met vechten, zelfs als ze de zee of het vuur in zouden lopen, kwam de hele horde erachteraan. 'Ze' waren allemaal hetzelfde.

De koppendans van de vrouwen in Womg'bumi gaf haar een soortgelijke ervaring van eenzijn met elkaar, maar daar was het juist fijn. Barbara en Rozemarie zullen zich er nooit aan overgeven. Ze hebben waarschijnlijk gelijk. Maar Evelien is anders. Ze houdt van Afrika en ze houdt verschrikkelijk veel van die man. Daar is nu eenmaal niets aan te doen.

Evelien heeft zich verheugd op de lunch, maar ze is ook onzeker en ze voelt zich belachelijk als ze in haar geleende jurk over een loper het paleis in moet schrijden met de ingepakte Delftse schotel in haar hand. Die wordt gelukkig meteen door een bediende van haar overgenomen. Ze weet niet wat er verder mee gebeurt.

De president heeft meer gasten gevraagd. De mannen dragen opzichtige horloges en dikke gouden ringen, de vrouwen schitterende japonnen met grote bloempatronen, verguldsel en glitters. Evelien voelt zich bekeken en uit de toon vallen, ook al heeft Munengo tegen haar gezegd:

'Wat ben je mooi. Je bent een zeldzame bloem uit het koele Noorden.'

'Ja, maar ik ben het niet zelf. Ik moet gewoon doen, maar er is helemaal niets gewoons aan. En ik vind jou veel liever, als je niet bent opgetuigd.'

Munengo lacht zijn eigen zorgeloze lach en dat helpt.

Als iedereen aanwezig is, komt de president pas binnen. Hij is de enige die traditionele kleding draagt, een wijd gewaad van gestreepte zijde en een ketting van kromme tanden. Een lieverdje, heeft Barbara gezegd. Hij lijkt op een nijlpaard.

Een voor een worden de gasten aan hem voorgesteld. Daarna loopt iedereen wat rond en beginnen er gesprekken. Het nijlpaard blijft zitten en kijkt toe. Evelien voelt het als hij zijn aandacht op haar vestigt. Ze probeert zich er niets van aan te trekken. Munengo is volkomen op zijn gemak. Hij kent de meeste mensen: minister dit, generaal dat en een mager mannetje met een humoristisch gezicht: een collega.

Aan tafel komt Evelien naast een minister te zitten. Hij is al vrij oud en hij praat onderhoudend met haar. Helaas kan ze hem weinig bijzonders over Hollandse koeien vertellen. Het eten is inderdaad zoals Barbara heeft voorspeld: lekker en veel.

Opeens is het afgelopen. De president staat op en verlaat de zaal en er beginnen al mensen te vertrekken.

'Gaan wij ook weg? Moeten we iemand bedanken?'

'O nee,' zegt Munengo, 'daarvoor heeft hij je niet laten komen. Hij heeft eerst eens rustig bekeken wat voor iemand jij bent en straks worden we uitgenodigd voor een gesprek.'

De collega is het eerst aan de beurt. Vervolgens een jong echtpaar. Evelien heeft eindelijk een beetje contact met een paar vrouwen, als ze na een half uur door een bediende worden geroepen.

Ze komen in een klein vertrek. Een bureau in de hoek, een enorme kaart van Gondom aan de wand en een hoge kast. Het lijkt of de man in de brede lage stoel de helft van de kamer vult. Van dichtbij is zijn gezicht nog groter, een landschap vol bergen en dalen. Hoeveel plooien en vouwen vel zitten er nog onder al die glimmende strepen zijde verborgen. Hij lacht met een overweldigende hoeveelheid tanden in zijn lichtrode mond en hij zegt:

'Het verheugt mij kennis te maken met de vriendin van de gewaardeerde Munengo Dao.'

En dan komen de vragen. Hij wil alles weten: wanneer en hoe ze elkaar hebben leren kennen. Waarom precies Evelien naar Afrika is gekomen. Voor hem?

'Ik dacht dat ik verliefd was geworden op Afrika. Nu weet ik dat ik al die tijd van Munengo hield.' Ze gelooft het zelf. Demba komt al niet meer in haar gedachten voor.

'Wat vind je het beste in hem?'

Evelien moet Munengo even aankijken. Het beste?

'Hij kan accepteren,' zegt ze dan. 'Munengo maakt zich niet kwaad als de dingen anders uitkomen dan hij hoopt of verwacht.'

Weer die vraatzuchtige lach. 'Munengo wil het anders hebben in dit land. Hij wil democratie. Wist je dat nog niet?'

'Niet met geweld.'

'Ik hoop dat je gelijk hebt. Ja, dat hoop ik.'

Evelien begrijpt opeens, hoe moeilijk een president het kan hebben. Hij is van niemand zeker. Daarom heeft hij zich aangewend zo doordringend te kijken.

'U kunt op Munengo rekenen, dat weet ik,' zegt ze.

'Wil je met hem trouwen?'

'Ja.'

'Doe dat dan maar gauw. Ik zal zorgen dat hij een huis krijgt en een betere betrekking.'

De president ziet grote mogelijkheden: de ministersvrouwen zullen graag met deze mooie witte dame om willen gaan en de ministers zelf ook. Munengo zal toegang krijgen tot de clan van conservatieven en hijzelf zal beter op de hoogte zijn van wat daar achter zijn rug gebeurt.

'Ik heb een contract van een jaar,' zegt Evelien.

'Geen probleem. Dat maak ik in orde.'

Niet tegenspreken, heeft Barbara gezegd en, dat is waar ook, vaak excellentie zeggen. Vergeten.

'Het is erg vriendelijk van uwe excellentie. Mogen wij er over denken?'

Het onderhoud is afgelopen. Min of meer verbijsterd verlaten Evelien en Munengo het paleis. Een huis en een betrekking. Dankbaar en blij moeten ze zijn, maar vooral Evelien voelt onbehagen. Voor de president is er geen probleem, voor haar wel om na alle cursussen de boel in de steek te laten. En Munengo weet wat het aanbod inhoudt. Hij zal een positie krijgen aan het hof met alle verplichtingen, naijver en vijandschap die daar bij horen en werk dat hij hoogstwaarschijnlijk niet aan kan. Zoveel heeft hij in die paar jaar niet geleerd.

Ze zijn veel te gek op elkaar om de negatieve overwegingen te laten tellen en bovendien: tegen een president kun je niet nee zeggen.

Munengo krijgt al na een week een officiële baan. Nu verdient hij naar zijn eigen idee verschrikkelijk veel geld en gelukkig is zijn werk voorlopig hetzelfde gebleven. Een huis is nog niet beschikbaar. Evelien is er eigenlijk wel blij om. Ze heeft het best naar haar zin en ze hoopt dat ze zich aan haar contract kan houden en het jaar vol maken. Zo'n machtige president kan zich wel verbeelden dat de hele wereld zich aan zijn luimen moet aanpassen, zij is het daar niet mee eens.

15

Evelien moet naar Zuid-Sougouni om een nieuw hotel aan de kust te bekijken en zo mogelijk meteen een paar reizen te regelen. Ze geniet er van het klimaat en gaat telkens weer naar het warme strand om te zwemmen in de oceaan. Het leven is volmaakt.

Als ze terugkomt van het zwemmen, wordt er op het terras van het hotel een vuur aangemaakt. De kok zal er visjes gaan roosteren. Ze haast zich naar haar kamer om zich aan te kleden.

Als ze beneden komt staat hard de televisie aan en ze wil meteen doorlopen naar buiten, want ze vindt de programma's over het algemeen niet te genieten.

Alle gasten en het personeel zitten te kijken. Ergens zijn rellen, hollende jongens, soldaten met machinegeweren. Het is ook altijd weer hetzelfde.

Evelien vangt een woord op: Gondom en dan blijft ze staan. Een wit gebouw staat gedeeltelijk in brand. Ze herkent het paleis waar ze een paar weken geleden heeft geluncht.

De manager van het hotel verklaart:

'Ze hebben de president van Gondom vermoord.'

Verdoofd kijkt ze naar de beelden. De president vermoord. Munengo..?

'De stommelingen,' zegt de manager, 'het ging daar juist zo aardig.'

'Ik wil telefoneren,' zegt Evelien, 'mag ik alstublieft telefoneren?'

'Het spijt me. Dat is hier niet mogelijk.'

Dat is waar ook, in dit mooie nieuwe hotel hebben ze geen telefoon. Die is in de plaatsen langs de kust nog niet aangelegd. Ze zal twintig kilometer verderop moeten als ze telefoneren wil. Evelien besluit om morgen dan maar meteen te vertrekken. Ze wil naar Gondom, maar ze heeft geen idee hoe ze er komen kan.

Machinaal werkt ze de gebakken vis naar binnen. Er is niet veel meer te regelen hier, maar ze moet het wel doen en dat kost toch nog een halve dag. Dan kan ze meerijden met de bestelwagen van het hotel. De auto is tamelijk nieuw, en, nog uitzonderlijker: de weg is, althans voor Afrikaanse begrippen, uitstekend. Vroeger dan ze had durven hopen wordt ze op haar verzoek afgezet bij het vliegveldje. Daar staat ze dan voor niets. Er is vandaag geen enkele vlucht meer en naar Gondom vliegen ze helemaal nooit.

Maar morgen kan ze terug naar Sougouni-stad en dat is eigenlijk het beste. Munengo heeft haar misschien al opgebeld.

Dat heeft hij niet gedaan. Ze hoort niets en ze kan op geen enkele manier naar hem toe. De Europeanen in Gondom worden geëvacueerd. Angstig volgt ze alle berichten. Tachtig doden. Een generaal heeft de macht nu in handen. Ze herkent de man. Hij was ook bij de lunch. Dat arme nijlpaard.

Ze kan alleen maar wachten en ze raakt langzamerhand in een vreemde wezenloze toestand, haast net als toen ze pas terug was uit Frankrijk. Alleen ze blijft nu werken. Ze slaapt slecht en heeft nachtmerries.

Er komt nog iets bij. Ze is over tijd. Evelien heeft niet gemerkt dat ze in zo'n glijdende wc, waar alles meteen netjes verdwijnt, opnieuw een ei is kwijtgeraakt. Ze is ze er niet op ingesteld naar klokken en kalenders te kijken, maar toch merkt ze dat het deze keer wel erg lang duurt voordat de menstruatie begint en de gedachte komt bij haar op dat ze misschien wel een kind verwacht.

Een kindje van Munengo, een klein zwart babytje. Het is niet de bedoeling geweest, maar ze wil het wel. Als er iets met hem gebeurt, mogelijk al gebeurd is, dan heeft ze tenminste dat. Ze begint het zich voor te stellen, zich zelfs erop te verheugen en dan wordt ze gewoon weer ongesteld en de verwachting is voorbij. Het is alleen maar het effect van Yahi's drank geweest. De medicijn die Frits zo graag wilde hebben.

Behalve ongerust en verlangend voelt Evelien zich nu erg leeg.

Op een tobberige manier blijft ze werken. Na een week komt ze op een middag uit haar kantoortje. Op straat ziet ze de bedelaars al niet meer, ze gaat door de hoge draaideur het hotel binnen en de mensen in de brede leren stoelen in de lounge ziet ze ook niet. Ze wil meteen met de lift naar de negende. Er komt een man aangedraafd. Hij wil nog mee, maar de deur van de lift schuift al dicht en Evelien, die zonder aandacht, bijna zonder gedachten als een automaat, omhoog stijgt, is opeens vol verwarring. Is hij het geweest of heeft ze gedroomd?

Ze moet het weten, drukt meteen op de knop begane grond en daar stapt ze de lift weer uit. Hij is het.

Munengo, in zijn garage, heeft de ongeregeldheden niet zelf meegemaakt. Er werd geschoten en met legerauto's gejakkerd door de straten. Toen heeft hij voor de verandering zijn armoedige kleren weer eens aangetrokken en van een afstand het tumult bekeken.

'Ik had wel mee willen vechten,' zegt hij, 'maar ik had het materiaal er niet voor en ik wist niet eens tegen wie ik vechten moest. Het was allemaal nogal onduidelijk.'

De generaal die nu bezig is de orde te herstellen en die de schuldigen streng zal straffen, is een neef van de president en er wordt algemeen aangenomen dat hij zelf de aanslag op touw heeft gezet. Omdat de meest onwaarschijnlijke mensen beschuldigd worden, leek het Munengo verstandig een poosje weg te gaan. En daarom is hij nu hier.

Hij zit het allemaal te vertellen in de kamer op de negende verdieping. Ze zitten samen in een stoel.

'Blijf je nu bij mij?'

'Ik ga weer terug, Evelien. Hier kan ik toch niet wonen?'

'We kunnen een kamer zoeken, een flatje of zoiets.'

Hij wuift met zijn hand en hij lacht vrolijk.

'Ik ben nog maar pas aangekomen. Wat zal ik doen? Ik weet het niet. Alles kan gebeuren.'

Laat in de avond gaan ze samen uit eten. Hij vertelt van de brand in het paleis, de beo van de president die krijsend rondvloog en het is een grappig verhaal.

Hij brengt Evelien terug naar het hotel en neemt buiten afscheid.

'Morgen. Of overmorgen, dan zie je me weer.'

Vaste afspraken maakt hij nooit. Evelien weet ook niet waar hij woont en hoe hij zijn dagen doorbrengt. Ze zit erg vaak alleen in haar kamer om hem niet te missen, als hij plotseling weer eens opduikt. Soms verschijnt hij in het kantoortje en Bia en Balop zijn verrukt van hem.

En dan kondigt hij onverwacht aan: 'Ik ga morgen terug, Evelien. Ik wil hier weg. Die Sougounezen, ze kijken op me neer.'

'O Munengo, nee. Het is te gevaarlijk. Er worden daar mensen geëxecuteerd.'

'Dat kwam vroeger ook wel voor.'

Gevaarlijk. Hij moet erom lachen.

'Als je maar niet in Oudougoangi blijft. Al die nieuwe machthebbers kennen jou en ze weten wat je deed. Wil je terug naar Womg'bumi?'

'Wat zou ik daar moeten doen? Ik zal weer gids worden. Om te beginnen.'

'Gids. Er komt geen enkele toerist naar dat land.'

'Binnenkort wel. Ik moet erbij zijn.'

Munengo was direct al van plan zo gauw mogelijk naar Gondom terug te gaan. Het leek of hij in Sougouni altijd haast had.

Toen hij pas was gevlucht, stelde Evelien zich hun toekomst samen voor. Bij voorbeeld een hotel of een restaurant aan zee in het Zuiden waar ze net was geweest. Echt een gebied met kansen en zij zou er vanuit haar tegenwoordige betrekking een mooie ingang hebben. Nu begrijpt ze dat het niets voor hem zou zijn. Luie gasten verzorgen die een beetje gaan zwemmen, uitkleden, aankleden, in de zon, uit de zon, houten beeldjes en namaakmaskers kopen in de kraampjes op het strand, een zinloos gedoe. Daar zal hij nooit zijn energie aan geven.

Als ze hem wil houden, en dat wil ze, dan moet ze naar hem toe. In de gloeiend hete hoofdstad van Gondom gaan wonen, misschien in een huisje zonder water en vol stuivend zand, ver van de beschermende bomen en het heldere riviertje van Womg'bumi. En net als hier zal hij gaan en komen, als hij het wil en ze zal altijd ongerust zijn dat hem iets overkomt. Zal er werk voor haar zijn, of wordt ze als blanke vrouw gediscrimineerd? Dat komt steeds meer voor. En als ze dan wel een kind krijgt, hoe moet ze het verzorgen en opvoeden?

Waarom ben ik niet een strijdbare feministe, denkt Evelien. Waarom haal ik me telkens opnieuw zo'n vretende liefde op mijn hals. En waar moet dit nu weer op uitdraaien?

Over één ding hoeft ze zich tenminste geen zorgen meer te maken, dat is het contract. Het zal minstens een jaar duren voordat ze bij elkaar zullen zijn.

Telefoneren kan niet meer, maar hij belooft te schrijven. Zijn brieven worden misschien opengemaakt, dus bijzonderheden kan hij er niet in zetten, maar Evelien zal in elk geval weten dat hij er nog is. Pas later bedenkt ze: we hadden een aantal codes moeten afspreken, maar dan is hij al vertrokken.

Wachten met het vooruitzicht op een huis en een kant en klare toekomst is iets heel anders dan wachten of er een brief komt of misschien nooit meer. Evelien past zich zo goed mogelijk aan. Via Barbara komt ze in contact met een heel andere wereld. Ze vindt het een eenzijdig uittreksel van het leven in Nederland. Aan de ene kant internationaal, aan de andere kant erg besloten. Het geeft haar wat afleiding, maar niets meer. Met haar hoop en verwachtingen kan ze er niet terecht.

Ze krijgt post van thuis. Soms staat er iets in over Frits. Hij heeft vaak hoofdpijn en hij doet soms vreemd. Niets voor Frits. Het is niet duidelijk wat er nu precies met hem aan de hand is. Misschien heeft ze het eerste verslag gemist.

De brieven van Munengo komen spaarzaam binnen, maar hij schrijft altijd optimistisch. Het was geen opstand, het was een coup. Er zijn nieuwe ministers aangesteld, maar ook oude gebleven. Deze regering lijkt wat eensgezinder dan de vorige. Evelien betwijfelt of het er nu democratischer is. Ze bestudeert de krantenfoto's van de nieuwe president en constateert dat hij knapper is dan het nijlpaard, maar een lieverdje is hij beslist niet.

Munengo krijgt weer opdrachten, nu van de nieuwe regering en hij verdient zelfs een karig salaris. En dan schrijft hij dat ze best eens kan komen. Niet op uitnodiging van de president, maar misschien moet ze wel eens in de buurt zijn voor haar werk? Ze hebben elkaar zo lang niet gezien, bijna een half jaar. En natuurlijk gaat ze direct.

Zo gauw ze bij elkaar zijn, vallen alle bedenkingen weg. Munengo maakt zich al helemaal nooit zorgen over later en Evelien wordt door zijn opgewektheid aangestoken. Ze heeft nu een van de kleinste kamertjes in het hotel en ze kunnen er zo vaak bij elkaar zijn als ze willen.

Tijdens hun wandelingen 's avonds, als niemand hen kan afluisteren, vertelt Munengo over de situatie in het land. Er worden overal hervormingen ingesteld. De nieuwe president doet erg zijn best voor democraat aangezien te worden. Hij woont heel eenvoudig. Als het paleis is hersteld zal het door de regering worden gebruikt. Hij wil alles beter doen. Het is jammer, dat het soms toch verkeerd uitpakt. De staatsauto's bij voorbeeld, vroeger mocht iedereen die er voor in aanmerking kwam ze gebruiken. Dat heeft hij afgeschaft, maar het gevolg is dat nu alle functionarissen er zelf één willen hebben, zodat de totale uitgaven niet minder worden, maar juist meer.

'Dat is heel gewoon,' zegt Evelien, 'Dat soort dingen gebeuren bij ons precies zo.'

'Misschien krijg ik ook wel een auto,' hoopt Munengo, 'later.'

'Wat ik niet begrijp,' zegt Evelien, 'Als het waar is wat je me de vorige keer vertelde: dat deze president de hand heeft gehad in de moord...'

'Het is waar.'

'Hoe kun je voor zo iemand werken?'

Om die vraag moet Munengo weer lachen. 'Hij is nu toch de baas. Eigenlijk is er niets veranderd.'

'Voor ons wel.'

'Dat is zo.'

'Denk je dat ik hier werk zal kunnen krijgen, als het jaar om is?'

'Natuurlijk, als alles zo blijft.'

Het duurt nog maar een paar maanden, maar niemand kan weten hoe de toestand dan zal zijn.

16

Frits heeft zich erbij neergelegd dat zijn reis naar Afrika voor niets is geweest, maar het heeft hem toch een klap gegeven. Hij voelt zich moe en lusteloos en hij heeft elke middag hoofdpijn. Misschien is het ook Engelbert die hem aansteekt als hij in zijn depressieve toestand troost komt zoeken bij de Brunels. Door is niet te bewegen haar oude leven weer op te vatten en Engelbert voelt zich ellendig in het grote holle huis.

Als Frits thuiskomt en de lange sombere gestalte ziet zitten, gaat hij tegenwoordig meteen naar de spreekkamer en blijft daar met het zere hoofd in zijn handen, totdat Rozemarie hem komt halen voor het eten. Zij laat Engelbert maar praten en probeert hem wat op te beuren, maar zo nu en dan ontsnapt ze naar de keuken en dan houdt Hannejetje de saaie gast bezig met verhandelingen over de dood. Engelbert wordt er niet vrolijker van.

Frits heeft alle boeken en publicaties doorgewerkt: heeft hij een tumor in zijn hoofd? Is het een zeldzaam virus? Hij maakt een afspraak met een neuroloog en hij gaat door de molen: een uitgebreid onderzoek, een echo, een scan. Het levert niets op. Er wordt uitgezocht of hij een tropische parasiet in zijn bloed heeft. Geen een te vinden. Hij krijgt pillen waar hij beroerd van wordt. Ze helpen niet.

Frits rijdt rond langs zijn patiënten. Hij praat niet lang, straks begint het weer te bijten in zijn hoofd. Nog twee adressen. Onderweg ziet hij donkere vlekken. Het lijkt alsof er grote zwarte vogels voor hem uit vliegen, maar even later is er niets meer. En dan is hij plotseling thuis. Hij zet de auto in de garage. Hij heeft het idee dat hij iets heeft vergeten, maar hij weet niet wat en hij heeft nu eens geen hoofdpijn. Wat een opluchting.

'Ha Roos, hoe is het? Geen Winsloo vandaag?' Hij slaat zijn armen om haar heen. 'Fijn, dan zijn we onder ons en ik voel me een stuk beter.'

Een uur later gaat de telefoon: 'Of de dokter nog komt.'

Rozemarie hoort hem zeggen: 'Ben ik dan nog niet geweest?'

Hij wil meteen weglopen. Ze houdt hem tegen, haar ogen zijn opeens vol tranen. Het is niet goed met Frits. Het wordt erger. Hoe kan hij een patiënt helemaal vergeten?

'Frits, dat kan zo niet langer.'

'Wat bedoel je?'

'Je bent ziek. Je moet... Er moet iets gebeuren.'

Frits verstart. 'Het gaat juist veel beter, dat zei ik toch.'

Hij wil er niet meer over praten.

'Frits,' zegt Rozemarie een week later, 'vind je goed, dat ik een afspraak maak? Om zeker te weten dat alles in orde is?'

'Ja, maak een afspraak. Je bent overspannen, Rozemarie. Je hebt je ons meningsverschil over Afrika te veel aangetrokken. Toen haalde je ook al van alles in je hoofd en nu weer. Ik denk niet dat het ernstig is, maar het kan geen kwaad als je er eens naar laat kijken.'

Rozemarie is perplex. Ze laat het niet merken.

'Ga je dan met me mee?'

'Welnee, zo'n onderzoek is absoluut niet pijnlijk of vervelend. Het duurt alleen lang en ik loop met alles achter. Ik heb echt geen tijd om mee te gaan.'

Verdrietig keert Rozemarie zich om. Frits kijkt haar na. Hij voelt zich schuldig. Hij had haar niet op deze manier moeten afpoeieren, want ze meent het goed, maar haar ongerustheid irriteert hem. Hij kan heus wel zelf beoordelen wanneer er iets aan zijn situatie gedaan moet worden. Hij is er nog niet aan toe. Het heeft geen zin al die onderzoeken opnieuw te laten doen. En dat zorgelijke gezicht van Rozemarie, dat kan hij er nu net niet meer bij hebben.

Rozemarie belt een bevriende internist.

'Ze hebben neurologisch niets bij hem gevonden. Kan het niet toch een tropische ziekte zijn? Hij heeft pas een reis naar Afrika gemaakt.'

'Laat hij maar eens komen.'

'Dat wil hij niet.'

'Dan kan ik er niets aan doen.'

Frits leert om te gaan met zijn kwaal. Hij heeft er alleen 's middags last van. Toch houdt hij Rozemarie niet voor de gek. Soms zit hij een uur achter zijn bureau en kijkt haar aan met lege ogen als ze iets tegen hem zegt. Even later weet hij er niets meer van. Als hij maar niet zo achter liep met zijn werk, brieven, vakliteratuur, het blijft allemaal liggen.

Het is niet alleen hoofdpijn en afwezigheid waar hij last van heeft. Voordat de aanvallen beginnen, voelt hij angst, een onbestemde, knagende angst. Frits is moe, doodmoe. Na nog een week geeft hij het op, hij kan niet meer. Rozemarie is verdrietig en tegelijk opgelucht. Als er eindelijk maar iets aan wordt gedaan.

Weer wordt er niets gevonden. En dan komt hij terecht bij een psycholoog. Hij krijgt massages en moet evenwichtsoefeningen doen. Vrienden, buren, collega's, specialisten, verre relaties, studiegenoten, tantes, neven, patiënten, goed- en kwaadwillige buitenstaanders en zelfs Engelbert Winsloo komen met vruchten, bloemetjes en adviezen.

In het begin blijft hij nog zijn spreekuur houden. Later komt er een waarnemer. Als hij niet meer werkt en zit te wachten op de aanvallen, worden zijn angsten erger.

De derde psycholoog bij wie hij in behandeling komt, heeft lang in Suriname gewerkt en hij gelooft in toverij. Al bij het eerste gesprek vraagt hij aan Frits: 'Wat heb jij daar in Afrika eigenlijk gedaan?'

Het gesprek duurt dan nog een uur. Rozemarie die hem komt halen, wordt erbij gehaald. De psycholoog is erg zeker van zichzelf.

'Je kunt wel proberen tegen zo'n betovering te vechten. Ik kan je dat leren, maar het zit al zo diep. Hoe lang is het geleden dat je daar was? Al bijna een jaar? Het zal erg moeilijk zijn. Er is een veel simpeler oplossing: maak het goed. Ga terug naar dat dorp, naar de priester of wie het is die dat heilige bos bewaakt en doe wat de goden van je vragen.'

Frits en Rozemarie geloven niet in toverij. Moeten ze weer zo'n dure reis maken? Ze zien er het nut niet van in en nog minder van de afkoopsom die de goden van hen zouden kunnen vragen.

'Vechten,' zegt Frits, 'ik heb dat elke dag gedaan, maar misschien op de verkeerde manier. Leer me hoe het moet. Ik wil het proberen.'

'Kan ik hem helpen?' vraagt Rozemarie.

Ze gaan twee keer in de week naar de psycholoog om te leren vechten. Tegen de angsten en tegen het kwaad dat hij daarachter vermoedt. Hij moet het kwaad een gedaante geven en het tegemoet gaan.

'Ga er maar op af,' zegt de psycholoog, 'Jaag hem weg. Het is een fantoom, een schijnwezen. Hij kan je niet echt iets doen.'

Frits vecht tegen het schijnwezen. Het wordt er wezenlijker door, bijna tastbaar, daardoor nog erger dan het al was, een dagelijks terugkerende beproeving.

De psycholoog zegt: 'Het kan lang duren.'

Rozemarie denkt: we komen er nooit meer vanaf.

Ze gaat met de kinderen naar de verjaardag van haar vader. Frits wil niet mee. Hij voelt zich niet opgewassen tegen onderzoekende blikken, begrijpende vriendelijkheid en vragen die uit kiesheid niet worden gesteld en daardoor het normale contact verhinderen.

Anders dan Erica en Evelien vindt Rozemarie het heerlijk om weer even thuis te zijn. Mammie wordt een beetje kleiner, pappie grijzer, maar de dingen van vroeger zijn er nog, het blauwe servies, de witte servetten, de karaf met water naast de fles wijn.

Floris mag het houten mannetje laten knikkebollen en Hannejetje mag kruimels brengen in het vogelhuis. Het voelt zo veilig, hier is niets onverwacht of bedreigend. Alles gebeurt zoals het hoort.

Erica heeft wel eens gezegd: 'Mammie is goed in het wegdenken van narigheid, het ongemak begraven, leve de schone schijn.' Erica keurt dat af, Rozemarie heeft er waardering voor.

'Komt Erica niet vandaag?'

'Vanavond.'

'Jammer, ik kan het niet te laat maken.'

'Ja, en we hadden gehoopt dat Evelien een dezer dagen terug zou komen, want haar jaar is om. Maar ze heeft geschreven dat ze in Afrika blijft. Ze is overgeplaatst naar Gondom.'

'Overgeplaatst?'

'Dat staat niet in de brief, Mary. Alleen dat ze daar nu woont.'

'Ik neem aan dat ze haar contract heeft verlengd, nietwaar. Wat zou ze daar anders moeten zoeken?'

Wat anders? Rozemarie heeft er haar eigen opvatting over. Ze zegt het niet. Waarom zou ze mammie met een onverteerbare situatie belasten? Leve de schone schijn.

Als ze thuiskomt is Frits al naar boven. Ze draagt de slapende kinderen een voor een naar hun kamer, beweegt als een vlieg in de badkamer en stapt zonder gestommel en zonder licht te maken in bed.

'Ik slaap niet,' zegt Frits, 'hoe heb je het gehad?'

'Fijn, en jij?'

Hij zucht: 'Ik weet het niet, Rozemarie.' Ze zoekt zijn hand. 'Frits, denk je dat deze therapie helpt? Of helemaal niet?'

'Ik kan er niets over zeggen. Ik weet niet of het waar is wat die man me laat denken, of hij het allemaal verzint of ikzelf. Ik weet niet wat ik heb. Alleen dat een deel van mij... weg is, verder weg dan eerst. Ik ben bang dat er niets van me zal overblijven.'

'Frits, het was erger, toen je het niet wilde weten.'

Hij zucht opnieuw. 'Ik kan het niet volhouden. Niet altijd.'

Rozemarie heeft er de hele weg naar huis over moeten denken. Eigenlijk laat het haar nooit los. Frits moet beter worden. Ze moeten alles proberen, alles. En nu is Evelien weer in Gondom.

'Evelien is weer in Gondom.'

'Prettig voor haar.'

'Als ik haar nu eens schrijf? Ze zou misschien voorzichtig in Womg'bumi kunnen vragen...'

Frits komt met een ruk overeind.

'Als je dat maar laat, Rozemarie. Ik wil nooit, nooit, nooit meer iets met Womg'bumi te maken hebben.'

'O... Goed Frits.'

Met een plof laat hij zich weer vallen. 'Ik word er zo vreselijk moe van.'

'Ik zal er niet meer over beginnen. We gaan slapen.'

'Womg'bumi. Die gemene heks.'

Slaapt Frits? Rozemarie in elk geval niet. Ze is geschrokken van zijn heftige reactie: die gemene heks. Zou de psycholoog dan toch gelijk hebben? Maar wat heeft het voor zin dat te weten, als hij er niet heen wil gaan om het goed te maken? Wat heeft dan deze hele behandeling voor zin. Hij gaat niet vooruit.

De behandeling wordt gestaakt. Er gebeurt een tijdje niets. Frits hangt doelloos achterover in zijn stoel. Rozemarie scharrelt jachtig en bijna even doelloos rond in haar huishouding, met de kindertjes. De waarnemer heeft het druk. Mammie belt op: 'Hoe gaat het nu?'

'Het gaat helemaal niet.'

'Waarom zijn jullie ook met een psycholoog in zee gegaan? Dat zijn van die zwevers. Ik begrijp niet dat je niet eens een gedegen onderzoek laat doen.'

'Dat is gebeurd, mammie. Twee keer. Er is niets gevonden.'

'Dan hebben ze niet goed gekeken. Frits is altijd een door en door gezonde man geweest. Die raakt niet zomaar vanzelf uit zijn evenwicht. Er moet een oorzaak zijn. Hij heeft een tumor.'

Zo. Mammie weet het.

Rozemarie vraagt het aan de waarnemer.

'Denk jij dat Frits een tumor in zijn hersenen kan hebben die over het hoofd is gezien?'

'Niet zo waarschijnlijk, maar hij zou het nog eens kunnen laten bekijken. Er zijn heel nieuwe ontwikkelingen bij het hersenonderzoek.'

En daar gaan ze dan weer. Nu naar het academisch ziekenhuis. Frits heeft geen tumor. Hij krijgt het advies een slaapkuur te doen, wordt opgenomen in de psychiatrische afdeling en platgespoten, zoals dat heet. Rozemarie rijdt elke dag een uur heen en een uur terug om een half uur naast haar versufte echtgenoot door te brengen. De kuur duurt zes weken. Aan het eind daarvan heeft Frits bijna geen hoofdpijn meer, hij ziet nog wel zwarte vlekken. Ze benauwen hem niet. Hij heeft geen belangstelling meer voor Rozemarie, niet voor de kinderen, niet voor de patiënten. Frits leeft nog, maar zijn contact met de buitenwereld is zo goed als dood.

17

Zo gauw ze kon, heeft Evelien haar baan opgezegd en ze is met een tas en nog een tas en haar oude rugzak naar Oudougoangi gevlogen.

Munengo heeft een huisje gevonden. Het heeft twee kamers en een binnenplaatsje met een bamboe schutting. Onder een afdak is een stookplaats en daar is ook een kraan. Ze hebben een bed gekocht en een tafel. Van planken zullen ze een bankje en een kast timmeren en dan is het klaar.

De riolering loopt vlak achter de schutting. Een betonnen plaat met een gat erin dient als wc. Zolang de kraan maar water geeft is alles in orde. Soms is het straaltje heel erg dun, maar het houdt nooit helemaal op zoals in de hoger gelegen wijken van de stad.

Evelien is gelukkig. Ze hoeft niets te hebben. Ze hoeft ook haast niets te doen. Stof en zand veegt ze met de bezem naar buiten. En samen met Munengo maakt ze het eten klaar: rijst, vruchten, een visje van de markt. Een koelkast zou makkelijk zijn. Die kunnen ze over een poosje wel kopen.

Evelien vindt werk bij een bank. Munengo is secretaris bij een van de ministers geworden. Hij moet vaak op onmogelijke tijden klaarstaan en soms heeft hij dagen lang haast niets te doen, maar dat komt steeds minder voor.

Steeds vaker komt het voor dat ze worden uitgenodigd bij belangrijke mensen. Evelien weet dat ze haar vragen om haar uiterlijk, het Europees zijn en ze wil zelf zo graag zich helemaal aanpassen aan het leven in Afrika, maar juist niet aan de mensen die zich conformeren aan wat zij zich voorstellen van de westerse maatschappij. Ze kleedt zich zo eenvoudig mogelijk. Langzamerhand leert ze sommige vrouwen wat beter kennen en dan merkt ze dat ze toch heel goed met hen kan opschieten en ze vindt aansluiting bij een paar aardige gezinnen.

Met twee vrouwen werpt ze zich op de reorganisatie en uitbreiding van de bibliotheek. Er kan en moet nog zo veel worden gedaan in dit land. Het is een fijn land om in te wonen. En ze hoeft het nooit meer koud te hebben.

Het huisje heeft geen bel en dat is ook niet nodig, want wie zou er aan de deur moeten komen? Munengo en Evelien zijn nog niet zo ver dat ze zelf bezoek kunnen ontvangen en buren of bekenden lopen om. Ze zitten met elkaar op de binnenplaats hun kacheltje te stoken, Munengo hakt houtjes en Evelien wast de maniok.

'Wat hoor ik toch?'
'Er wordt geklopt.'
'Iemand zoekt iemand. Voor ons kan het niet zijn. Ga jij kijken?'
Munengo doet de deur open.
'Kom binnen. Evelien! Het is wel voor ons.'
'Noliyanda!,
Noliyanda met een mand op haar hoofd, een kind op haar rug en kennelijk nog een kind in haar buik. Noliyanda met onvoorstelbaar grote ogen in een mager bang gezichtje. Ze stapt onzeker naar binnen.
'Ik heb jullie gevonden., Even is er een klein triomfantelijk lachje.
Munengo neemt de mand van haar af. Ze zet het kindje op de grond. Een stevig jongetje dat meteen achter zijn moeder wegkruipt, stervensbenauwd voor het enge bleke spook Evelien.
'Noliyanda, hoe kom jij zo plotseling hier?'
'Demba is dood', zegt Noliyanda. Ze kijkt Munengo recht aan. ,En nu ben ik van jou.'
'Het komt goed uit,' zegt Munengo, 'je bent net op tijd voor het eten.'
Evelien gaat terug naar buiten. Ze moet het even verwerken. Meer rijst koken, meer maniok, meer vis heeft ze niet. De rijst is nauwelijks genoeg. Noliyanda is erg hongerig. Het kind, Matimba, eet ook rijst en daarna drinkt hij nog bij zijn moeder. Munengo zit er stil naar te kijken.
Na het eten begint Noliyanda te vertellen. Er is een olifant gekomen. In Gondom is zeker in twintig jaar geen enkele olifant gezien. Deze moet wel duizend kilometer hebben gezworven, een eenzame oude bul. Het werd het eerst verteld door mensen uit Noliyanda's eigen dorp. Een hele tijd was het een gerucht: een olifant? Of de geest van een olifant?
Toen waren er sporen, vernielde bomen, afgerukte takken. En vanaf dat ogenblik waren de mannen niet meer te houden. We gaan op jacht, voordat anderen ons voor zijn. Wie heeft er nog olifantesperen?
Stampend en dansend zijn ze erop uit gegaan, Demba natuurlijk voorop. Demba heeft als eerste zijn spies in de dikke huid geboord en toen heeft de olifant niet een stapje achteruit gedaan zoals hij had behoren te doen, maar een stapje vooruit. Hij heeft Demba omvergetrapt en is op zijn lichaam gaan stampen tot er alleen maar een rode modderpoel van over was.
Oh dappere Demba, mooie sterke Demba, de olifant heeft hem kapot getrapt.
De olifant heeft het niet overleefd. Hij is geslacht, gevild en voor een groot deel opgegeten. Niemand heeft ooit zo'n begrafenismaal gehad als Demba. En de tanden. Die zullen veel geld opbrengen op de zwarte

markt. Siofok en Babukar gaan de tanden verkopen en Noliyanda krijgt een deel van de opbrengst. Ze vertelt het met trots. Haar man heeft haar niet onbemiddeld achtergelaten.

'Maar ik wilde niet naar die oude Ngunza. Demba's tweede vrouw is nu de derde van Ngunza. Ik wilde dat niet, Munengo, ik ben bij jou gekomen.'

Munengo zegt: ,Dat is goed.'

Noliyanda heeft haar eigen slaapmatje meegebracht. Ze legt het in een hoekje van de voorkamer en 's ochtends rolt ze het netjes op. Ze is stil en bescheiden. Ze helpt in het kleine huishoudinkje, gaat al gauw naar de markt om eten te kopen en eigenlijk doet ze alles een beetje beter dan Evelien. Evelien doet haar uiterste best het gewoon te vinden. Ze speelt met het kind, neemt boeken voor Noliyanda mee uit de bibliotheek en ze koopt een stoel. Noliyanda is heel erg zwanger.

Maar Evelien is nu nooit meer met Munengo alleen, behalve als ze uitgaan. En het wandje tussen de twee kamers is erg dun.

Na zes weken wordt het kindje geboren, weer een jongen. Evelien neemt een paar dagen vrij, maar Noliyanda is zo flink. Ze heeft weinig hulp nodig. Ze ziet er ook al beter uit. In Womg'bumi heeft ze niet zo goed te eten gehad.

'Moet het jongetje Demba heten?'

Noliyanda heeft er nog niet over gedacht.

'We zullen een ritueel houden, dan krijgt hij zijn naam. Hoe gaat dat hier?'

'Ik weet het niet,' zegt Evelien.

'Wie heeft dan jullie trouwceremonie gedaan? Jullie hebben toch wel een trouwceremonie gehad? Anders ben je niet echt Munengo's vrouw. Over een paar weken zal ik helemaal van hem zijn. Met een ritueel.'

Evelien voelt een lichte moordlust in zich opkomen. Ze overwint het. In de nacht fluistert ze met Munengo.

'Ik moet met je praten. Morgen. Zeg dat we uitgenodigd zijn en neem me mee naar het restaurant.'

'Ik begrijp het, Evelien. Ik bewonder je houding. Je weet dat het niet anders kan?'

'Ik wil toch met je praten.'

'Natuurlijk. We zullen het doen zoals je zegt.'

Als ze tegenover elkaar aan het gedekte tafeltje zitten begint Evelien te huilen. Munengo weet er niet goed raad mee.

'Ik ben verplicht voor haar te zorgen.'

'Dat weet ik wel, maar ze doet alles even goed. Er is niets op haar aan te merken en ze is zo afschuwelijk mooi.'

'Ik houd van je, Evelien.'

'Je bent aan mij gewend. Je zult stapelgek op haar worden. Ze weet, hoe ze dat voor elkaar kan krijgen. Snik.'

Het is helemaal niet haar bedoeling geweest deze dingen te zeggen. Evelien heeft al spijt. Er is toch niets aan de toestand te veranderen. Ze heeft er bewust voor gekozen een Afrikaanse vrouw te zijn. Dit zijn de consequenties. Ze had alleen maar een duidelijke afspraak met Munengo willen maken, weten waar ze precies aan toe is, vooral in verband met dat ritueel.

Munengo zegt: 'We moeten een groter huis zoeken. Ik denk dat ik het betalen kan.'

'In Womg'bumi heeft iedere vrouw haar eigen huisje. Hier kan dat zeker niet?'

'Misschien zou dat beter zijn,' zegt Munengo, 'Ik denk het, ja.'

Evelien denkt: ik raak hem kwijt. Noliyanda is zoveel sterker dan ik. Het is stom om dat bij voorbaat aan te nemen. Maar ik ben nu eenmaal stom, ik ben geen vechter.

'Evelien,' zegt Munengo nadrukkelijk, 'ik houd van je.'

Ze knikt dankbaar.

Hij vindt een tweede huisje. Net zo een, maar het heeft geen kraan. Noliyanda trekt er in zonder commentaar en Evelien vindt zichzelf een misselijke egoïst. Alsof ze haar geluk kan vasthouden door de ander met twee kinderen naar een minder goed verblijf te sturen. Noliyanda komt bij haar de was doen en haar kruik vullen, die ze op haar hoofd meedraagt met het baby'tje op haar rug en een waggelende Matimba hangend aan haar rokken.

Munengo verdeelt zijn tijd tussen hen tweeën, want zo hoort het.

En eigenlijk gaat het heel goed. Noliyanda heeft haar leven lang naar de stad gewild en nu maakt ze er alles van. Ze vindt al heel gauw een oude vrouw die op de kinderen wil passen. Ze geniet al van alleen maar lopen in de drukte. Haar vrolijkheid is aanstekelijk. Het blijkt nergens uit dat Noliyanda overloopt van verdriet om Demba.

Evelien denkt: ze zou mijn beste vriendin zijn, als niet... Als ik niet zo'n jaloers kreng was, daar komt het op neer. En dan doet ze weer extra haar best, koopt tijdschriften waar Noliyanda gek op is en een kleertje voor de baby.

Munengo is onveranderlijk lief voor haar.

Noliyanda ontdekt de danstent. De moderne muziek, heel erg Afrikaans, maar toch met Westerse invloeden brengt haar in extase. Maar het is te duur om er vaak heen te gaan. Er zijn meer dingen begerenswaardig en duur. Ze besluit te gaan werken.

Hele horden jonge mensen zijn op zoek naar werk, maar Noliyanda is niet iedereen. Ze krijgt een baantje als verkoopster in een lappenwinkel, hoewel ze ternauwernood rekenen kan. Ze maakt dan ook een paar verschrikkelijke vergissingen en wordt weer ontslagen. Munengo gaat haar met veel toewijding les geven in vermenigvuldigen en dan wordt ze aangenomen in het restaurant, een veel betere baan.

Het kindje heeft nog steeds geen naam. Noliyanda heeft ontdekt dat de stamtradities in de stad wat versleten zijn en ze heeft er weinig moeite mee.

'Hoe moeten we hem nu noemen?' vraagt Evelien.

Noliyanda lacht erom. Hij verstaat immers nog niets.

Munengo zegt: 'Hij heeft nog geen Afrikaanse naam, maar wel een officiele. Ik heb hem aangegeven als Félipe. Zo heette Demba vroeger op school.'

'Goed hoor,' zegt Noliyanda, 'Félipe.'

Munengo heeft hem aangegeven als zijn eigen kind.

Félipe ziet er niet gezond uit. Evelien weet dat Noliyanda vaak veel te laat thuis komt voor de voeding en ze denkt dat de oude vrouw waar ze haar kinderen zo makkelijk aan over laat, hem dan verkeerde dingen te eten geeft. Ze kan niet laten dat te zeggen.

'Wil jij hem hebben?' vraagt Noliyanda tot haar ontzetting.

'Ik heb toch ook mijn werk.'

'Nou, dan laten we het zo.'

's Zondags gaan ze wandelen in het park. Félipe deftig in een wagentje, Matimba aan Munengo's hand, een geslaagd gezinnetje dat een blanke vrouw te gast heeft. Zo zien ze eruit. Evelien besteedt wat meer tijd aan haar werk, ze steekt veel energie in de organisatie van de bibliotheek en thuis is ze soms wat afwezig, maar niet zo erg dat het Munengo opvalt.

'Munengo, Evelien,' zegt Noliyanda, 'jullie moeten vanavond meegaan naar de dans. Het móet. Er is zo'n goede band. Er zijn ook witten bij.'

Er hangen grote posters in de stad, Evelien heeft ze gezien: John Rorinck en de Afrodizzies.

'Laten we maar gaan. Het is ontspannend.'

Ze gaan samen. Noliyanda, opgewonden in een strakke donkerblauwe jurk vol enorme oranje lelies, Evelien met een groen linnen jak en Munengo heeft het opzichtigste geruite pak aan dat hij van zijn vrienden heeft geërfd, een opvallend gezelschap.

Het is meer dan vol in de zaal. Evelien deinst terug voor het gedaver van de muziek en de geur van al die mensen. Ze moet er even doorheen. Later wordt het fijn, dat weet ze. Het podium is niet erg hoog. Ze ziet drie zwarte muzikanten, twee witte en een reusachtige rode sproetenkop. Noliyanda heeft Munengo al meegesleept. Toe maar, dit plezier gunt Evelien haar volledig. Hoe weinig had het gescheeld of ze had haar hele leven in een dorpje moeten zwoegen zonder vrijheid en zonder het vertier, waaraan ze blijkbaar zoveel behoefte heeft.

Evelien laat zich in de menigte meeslepen. Dichtbij is het lawaai nog erger, maar ze wil die mensen wel eens zien. Het nummer is afgelopen. Ze vegen hun gezichten af. De middelste heeft een raar stijf kuifje en...

Evelien, de kalme aarzelende Evelien roept in de plotselinge stilte heel hard: 'Jootje!'

Johannes Roeterdink, John Rorinck, zijn gezicht licht op. Hij springt van het podium af. Hij vliegt Evelien om de hals en kust haar luidruchtig, vier, vijf maal. Jootje is wel veranderd.

Munengo heeft het gehoord. Met een stralende lach geeft hij Johannes een hand.

'Wat lijkt het lang geleden,' zegt Evelien, 'Körnerstachelturm. Johannes, Munengo is nu mijn man en dit is Noliyanda, Munengo's tweede vrouw.'

Johannes kijkt met verbijstering naar de beeldschone Nolyanda, Munengo's tweede vrouw. Gaat dat hier zo? Daar moet hij straks wat meer van horen. Maar nu moeten ze weer spelen.

Hij belandt met een sprong op het podium en hamert zware donderslagen uit de hoge drum.

Noliyanda heeft de uitbundige begroeting van de muzikant met Evelien gezien, maar ook de bewondering voor haarzelf in zijn lichte ogen. Ze wil meer aandacht van die jonge man. Bij een vorige gelegenheid heeft ze de dikke zangeres tot razernij gebracht door al dansend op het podium te komen en mee te zingen. Nu overweegt ze haar kansen om het weer te doen.

Ze durft het als de man met de woeste rooie kop een nummer vol herhalingen zingt. Noliyanda, rock, rock, rock wiegend in haar mooie jurk grist de microfoon uit zijn hand, zingt met een diepe warme stem een keer de melodie en geeft het ding dan snel weer terug. Het werkt goed. Hij laat het haar nog eens doen en weer. Steeds hetzelfde tot ze er zelf een eind aan maakt en met een zedig knikje, lange flappen van wimpers op fluwelen wangen, van het podium wipt.

Evelien geeft haar een zoen. Ze kan het hebben dat de levendige Noliyanda zo tot haar recht komt en dat maakt haar heel blij. Het is soms zo moeilijk, maar tot nu toe heeft ze het gered. Ze kan het misschien toch aan. Misschien. Ze voelt de veilige arm van Munengo om zich heen.

Ze blijven tot het allerlaatst. En dan gaan ze alle drie met Johannes mee naar het hotel. Ze praten en praten. Johannes spreekt Hollands en onbeholpen Frans door elkaar. Een van de zwarte muzikanten kent alleen maar Engels, twee komen uit Suriname. Zij spreken Hollands en een beetje Engels, maar geen woord Frans. De rooie kent alle talen en spreekt ze allemaal uit op zijn Amsterdams. En dan is er nog een witte bij, maar die zegt helemaal niets. Het helpt dat ze nogal wat bier drinken.

Johannes vertelt zijn geschiedenis. Toen hij terug was uit Afrika en met de drums ging oefenen heeft zijn vader hem voor de keus gesteld: ophouden met die herrie of vertrekken. Het viel hem wel even tegen dat Johannes toen meteen vertrok, maar dat is achteraf voor hemzelf wel het beste geweest. Hij heeft in Amsterdam rondgezworven en op zijn schutterige manier in de muziekwereld contacten gezocht. Van het ene groepje naar het andere, een poosje in Parijs en nu heeft hij zijn eigen medewerkers kunnen kiezen.

Hij zegt verontschuldigend: 'Het ging eigenlijk allemaal vanzelf. We hebben overal succes. Ik weet niet hoe dat komt.'

'Jullie zijn gewoon goed,' zegt Evelien.

'Misschien. Maar ik ben nog niet klaar,' zegt hij, 'Ik moest weer naar Afrika, zo gauw ik de kans ervoor kreeg. Ik heb nog geschreven naar die man, die Fünkelstab uit Oostenrijk weet je nog, Evelien? Maar opeens had ik een contract. Ik wil hier weer drums kopen en andere instrumenten. Kun je me daarmee helpen, Munengo? We blijven een week in Oudougoangi en ik hoop dat we op het eind van de tour nog een keer kunnen komen.'

Hij kijkt naar Noliyanda. Ze is tamelijk stil, want het gesprek is voor haar haast niet te volgen, maar ze weet wel de aandacht vast te houden. Haar grote ogen gaan van de een naar de ander, haar smalle handen bewegen sierlijk. Johannes ziet met verbazing hoe in de strakke jurk twee kletsnatte plekken groeien op de plaats van haar stijve ronde borsten. De kleine Félipe ligt dan ook erbarmelijk te huilen, als ze tegen de morgen thuiskomt.

Jootje komt Evelien in haar huisje bezoeken en hij verbergt zijn verbazing niet.

'Ik zag vreselijk tegen jullie op, Evelien. Dat grote doktershuis en je zus, Rozemarie, ze doet altijd zo beschaafd. En nu woon je hier heel arm.'

Evelien lacht. 'ik heb het uitstekend naar mijn zin, Johannes. Wat moet ik eigenlijk tegen je zeggen? Johannes of Jo of John?'

'Zeg maar John, of wat je wilt. Ik heb het altijd aan de stok gehad met mijn naam, maar nu vindt ik het niet zo erg meer.'

'Okee John. Dit is een warm land, weet je. Hier stellen we andere eisen aan een huis dan in Nederland.'

'Ja, dat zal wel.'

'Munengo heeft een goede betrekking en ik ook. En Noliyanda heeft haar eigen huis.'

John kucht ongemakkelijk. 'O ja.' Hij begrijpt het allemaal niet. Evelien ging toch met Demba? En nu deelt ze Munengo met een andere vrouw. En wat voor een. Toch heeft ze het uitstekend naar haar zin. Zegt ze. Hij kan zich niet voorstellen dat het waar is.

Evelien vraagt hoe het in Echel is en John vertelt wat hij weet:

'Ik ben nog wel eens mee geweest met de boerendansers. Lies is er niet meer bij. Getrouwd, ze woont in Almelo, geloof ik. En Winsloo heeft nu een andere vrouw. Dat grote huis is een kantoor geworden. Ja, en je zus en dokter Brunel doen natuurlijk ook niet meer mee, maar daar weet je zelf waarschijnlijk meer van.'

'Nee,' zegt Evelien, 'Hij is overspannen, dat is alles wat ik ervan heb gehoord.'

'Overspannen, zo heet dat, ja. Nou, soms doet hij erg vreemd.'

'Dat hebben ze me nooit geschreven. Wat doet hij dan, Jo?'

'Hij zegt van alles en daar weet hij dan later niks meer van. Zo was het. Nu komt hij eigenlijk nooit meer buiten. Ze hebben een waarnemer voor de praktijk en...' Hij blijft middenin zijn zin steken, want daar komt Noliyanda aangewandeld, met de kruik op haar hoofd die haar een koninklijke houding geeft, met Matimba, een jongetje in een rood broekje, vol ondeugd, verlegen voor de witte man, plukkend aan haar dunne rok.

Evelien begint een manga te schillen voor Matimba en John hoort of ziet niets anders meer dan zijn moeder. Noliyanda, zelfs haar naam is mooi.

Als Noliyanda met haar volle waterkruik weer is vertrokken, verdwijnt ook John. Evelien blijft nadenken over de ziekte van Frits. Zou het in verband staan met zijn vruchteloze pogingen de maandrank te bemachtigen en met zijn ontwijding van het heilige bos? Ze heeft sinds ze in Afrika woont verschillende keren kennis gemaakt met de geheimzinnige, duistere krachten in dit land. Ze weet niet, hoe Yahi gemerkt kan hebben wat er indertijd is gebeurd en nog minder, hoe ze vanuit de verte Frits ziek kan maken. Zou ze aan Munengo vragen wat hij ervan vindt? Ze moet een geschikt moment afwachten om erover te beginnen, want er mag niets gebeuren wat hun verhouding in gevaar kan brengen. Het geschikte moment doet zich niet voor.

De eerste dagen na het vertrek van John Rorinck en zijn groep is Noliyanda ongedurig en pikkelbaar. Kleine Matimba die nu goed de weg weet naar Evelien komt nogal eens troost bij haar zoeken als hij klappen heeft gehad. En dan kondigt Noliyanda plotseling aan dat ze een bezoek aan haar moeder wil gaan brengen. Munengo moet toestemming geven en die doet dat meteen.
Félipe zal meegaan en Evelien moet voor Matimba zorgen. Ze heeft alleen maar moeite met het feit dat het buiten haar om is beslist. Het jongetje geeft afleiding. Ze is blij dat ze Munengo nu een poosje voor zich alleen zal hebben en toch ziet ze er ook tegenop. Ze praten minder gemakkelijk met elkaar. En ze is bang dat hij Noliyanda erg zal missen.

Noliyanda mag met iemand meerijden die naar Mbongue gaat en dat bespaart haar veel tijd. Maar de wandeling van Mwaka naar Womg'bumi valt tegen. Ze is het lopen niet meer gewend en het kind in de doek op haar rug is zwaar. Noliyanda is al gauw doodmoe en ze denkt: ik zal toch niet alweer zwanger zijn. Ze heeft nu heel andere plannen.
Uitgeput komt ze aan in het dorp. Het is er stil, wat geritsel van kippen en geiten, een enkel kindergeluidje en ver weg hakt iemand hout. Kleine zonnevlekjes bewegen op de warme harde aarde. Daar loopt een vrouw, Yéré. Ze is verrast Noliyanda te zien enze bekijkt het schriele kindje.
'Wat een mooie jongen. En jij ziet er zo goed uit.'

Noliyanda kan bij Yéré overnachten. Na het eten, als Yéré's man en kinderen de deur uit zijn, zal ze de nieuwtjes horen.

Yéré kijkt met verbazing hoe Noliyanda met een soort meel en water pap maakt voor Félipe.

'Heb je zelf geen melk voor hem?'

'Hij moet leren eten.'

'Hij is nog veel te klein.'

'In de stad geven we niet jaren lang melk zoals hier.'

'Vertel van de stad.'

Ndumbe, Yo en de anderen weten inmiddels dat Yéré bezoek heeft. Ze willen allemaal horen van de stad, en vooral van Munengo.

'Zo jammer dat hij is weggegaan. Hij zou een goed opperhoofd zijn. Ngunza heeft nu wel weer een zoon gekregen, maar als die groot zal zijn, is hijzelf allang dood en hoe zal het intussen in Womg'bumi gaan?'

'Er gaan er teveel dood hier,' zegt Ndumbe somber. Noliyanda is verbaasd, Ndumbe was altijd zo vrolijk.

'Stil,' zegt Yo. Over onaamngename dingen kun je maar beter niet praten.

Pas als alle vrouwen weg zijn durft Noliyanda zachtjes aan Yéré te vragen: 'Wie zijn er dood?'

En fluisterend vertelt Yéré dan eindelijk de nieuwtjes.

'Bapo de man van Ndumbe was de eerste, of eigenlijk was natuurlijk Demba de eerste. En Bapo was al erg oud, dus die telt niet echt mee. Maar Babukar was jong. Hij stierf aan een slangebeet en dat was een teken, heeft Yahi gezegd. Neré is uit een boom gevallen, toen hij palmwijn wilde tappen en daarna is Vamba ziek geworden. De rituelen hebben niets geholpen, hij werd zieker en zieker. Zijn ogen zijn in de diepte van zijn hoofd verdwenen en nu is ook Vamba dood. Het is niet goed als de mannen sterven.'

Noliyanda weet het: dat jonge vrouwen sterven is normaal, maar gezonde mannen... Er is in Womg'bumi iets niet in orde, dat is duidelijk. Ze moet vlug maken dat ze wegkomt.

Als het vroege licht over de bomen schijnt, sjort Noliyanda de baby op haar rug en bij het holle geklepper van de houten stampers in de sorghum neemt ze haastig afscheid van de vrouwen. Pas in haar eigen dorp voelt ze zich weer veilig.

Ze blijft een hele dag lui in de hut bij haar moeder, zo moe. Dan gaat ze vriendinnen van vroeger bezoeken, voor zover ze er nog zijn. Twee zijn in een ander dorp getrouwd, drie zijn er dood. Ze bezoekt ook Kanyisile, de kruidenvrouw. Anders dan in Womg'bumi is hier een medicijnman die de voor de rituelen zorgt. Kanyisile maakt drankjes en smeersels voor dagelijks gebruik en ze is er niet zo geheimzinnig mee als Yahi.

Noliyanda heeft iets nodig om van haar eventuele zwangerschap af te komen. Ze is nu bijna zeker dat het zo is en dat komt haar erg ongelegen.

Kanyisile vindt dat Noliyanda er door het stadsleven niet op vooruit is gegaan. Uit eigen beweging geeft ze een versterkend middeltje voor de kleine Félipe en ze maakt problemen over het abortusmiddel.

'Dat is heel verkeerd, Noliyanda. Je hebt nog maar twee kinderen. Het is mooi dat het jongens zijn, maar voor hun tiende jaar ben je niet zeker dat ze blijven leven. Heb je het zo zwaar in de stad? Word je geslagen? Heeft je man geen werk?'

'Hij heeft werk en ik werk zelf ook. Ik ben toch nog jong. Later kan ik meer kinderen krijgen, als het nodig is.'

'Dat moet je nog maar afwachten. De voorouders zullen erg boos zijn, als je dit kind naar hen terugstuurt.'

Uiteindelijk krijgt ze toch haar zin. En dan vraagt ze ook nog om maankruiden voor een jaar. 'Alsjeblieft Kanyisile. Ze zijn niet te vinden bij ons. Niet op de markt, niet in de bomen, nergens.'

Kanyisile begrijpt dat wel. De smalle spitse blaadjes groeien aan een parasiet die alleen in heel oude mopanibomen voorkomt. Als ze er teveel van weghaalt, sterft de plant en ze moet vaak uren lang zoeken om een nieuwe te vinden. Ze is er dan ook erg zuinig mee. Nog nooit heeft iemand zoveel tegelijk gekregen, maar Noliyanda is altijd het lievelingetje van het dorp geweest en dat gevoel werkt nog door, ook bij deze verstandige vrouw die heel goed ziet hoe verwend ze is geworden.

Drie dagen later vertrekt Noliyanda, opgelucht, nog wat slap, maar niet meer met dat zware vermoeide gevoel waarmee ze kwam. Het middeltje van Kanyisile heeft feilloos gewerkt. En in de doek waarin ze Félipe draagt zit ook, zorgvuldig verpakt in dikke bladeren, een voorraadje van de begeerde kruiden, waardoor ze een jaar lang elke maand een ei zal leggen. Womg'bumi is niet het enige dorp waar ze de methode kennen voor menstruatie zonder pijn, bloed of andere narigheid.

Ze zou het liefst met een grote boog om Womg'bumi heen gaan, maar dat is niet mogelijk. Het wordt nacht. Ze gaat weer naar Yéré, eet weinig, praat niet veel en vertrekt weer heel vroeg, een vluchtig bezoek.

'Dag Yéré, bedankt.'

'Het ga je goed, Noliyanda. Tot ziens.' Wanneer? Nooit.

Ze komt opgewekt thuis en Evelien ziet met pijn in haar hart hoe blij Munengo is.

Weken gaan voorbij, twee maanden. Dan hangen opeens weer de posters in de stad: John Rorinck en de Afrodizzies.

'Ga je weer zingen, Noliyanda?'

Ze knikt met glanzende ogen.

Vier dagen zullen ze blijven. Noliyanda wil elke avond naar de danszaal, maar gelukkig, Munengo blijft de tweede keer al thuis bij Evelien.

Tot hun verbazing krijgen ze dan bezoek van Johannes Roeterdink.

'Ha John, moet jij vanavond niet spelen?'

'Ze kunnen wel even zonder mij,' zegt John, 'Ik eh, ik heb iets te vragen.'

De trommels, denkt Evelien. Ze staat op om koffie te zetten.

'Munengo,' begint John.

Munengo voelt direct dat het om meer gaat dan trommels. Hij wacht rustig af. John doet weer net zo onhandig als toen hij nog Jootje heette.

'Ik heb... Misschien vind je het gek... Ik wou je vragen...'

Hij haalt een grote zakdoek te voorschijn en veegt over zijn gezicht.

'Dit is de heetste stad van heel Afrika, geloof ik.'

'Wil je eigenlijk wel koffie, Jo, of heb je liever iets kouds?' Evelien ziet nu ook zijn verwarring. 'Wil je met Munengo praten? Moet ik wegggaan?'

'Nee, nee hoor, helemaal niet. Koffie? Koud, ja goed.'

Even is het heel stil. Dan ploft het er uit.

'Ik ben helemaal gek op Noliyanda. Ik... ik wil met haar trouwen. Ze zegt dat ik het aan jou moet vragen. Ik kan haar onderhouden, Munengo. Haar en de kinderen. Ik zal goed voor haar zijn. Altijd. Ze is... Ze zal... Ze wil wel, zegt ze.'

En weer poetst John zijn rode gezicht af.

Munengo zegt: 'Nee.'

Eveliens handen staan stil. John kijkt verschrikt Munengo aan.

'Als je... als ik een bruidschat moet betalen. Dat is de gewoonte hier, is het niet? Je moet maar zeggen, hoeveel.'

Munengo staat op en loopt naar de deur.

'Nee.'

Hij doet de deur wijd open en Johannes kan niet anders dan opstaan en weglopen.

'Denk er alsjeblieft nog eens over. Ik zweer dat ik haar gelukkig zal maken. En, en, en de kinderen, ik zal ze de allerbeste opvoeding geven.'

Plok. Het lichte deurtje geeft niet zo'n harde klap als de bedoeling was.

'Oh Munengo,' zegt Evelien, 'Waarom niet?'

Munengo is te erg geschokt om haar antwoord te geven. Hij vindt dat ook niet nodig. Hij is diep beledigd door die stomme onbenul die hem zijn vrouw af wil pakken. Noliyanda is van hem en hij wil haar houden. Haar warme stem, heel haar katachtige vrouwzijn, haar zijdezachte huid. Zo'n bleke beschimmelde witman. Het is al erg genoeg dat hij met zijn lelijke grote handen op Afrikaanse trommels drumt. Van Noliyanda moet hij afblijven.

Munengo gaat opgewonden heen en weer lopen, drie stappen in het kleine kamertje en drie terug. Evelien weet niets te zeggen. Ze was zo bang in het begin, dat hij meer van Noliyanda zou gaan houden. Dat is dus toch uit gekomen.

Later in de avond gaat hij de deur uit. En Evelien is blij dat ze nu alleen is. Ze kijkt om zich heen in het armzalige vertrekje, waarmee ze tevreden is geweest. En nu? Hoe moet het verder? Zal hij op den duur steeds meer daar zijn? Moet ze accepteren dat ze een bijvrouw wordt? Of moet ze het niet accepteren en weggaan? Waarheen? O Munengo.'

Munengo loopt niet meteen naar het andere huis. Hij moet nadenken. Nu pas merkt hij hoe verstrikt hij is geraakt in de netten van Noliyanda. Hij wilde dat niet. Van het begin af heeft hij doorzien, dat ze hem bewerkte met haar charme, haar gedweeë onderworpenheid afgewisseld door ondeugende vleierij. Hij vloog er niet in, als ze met spottende minachting praatte over Evelien, zo gauw ze met hem alleen was. Evelien, goeie kameraad, zo eerlijk, zo dapper verdragend wat in haar eigen cultuur onaanvaardbaar is. Evelien mocht niets tekort komen. Maar Munengo wilde wel genieten van wat hem in de schoot geworpen werd. Waarom niet? Hij vond van zichzelf dat hij de situatie aardig aankon. Hij dacht dat hij Noliyanda en haar kuren de baas was.

En nu wordt hij blind van woede, als hij bedenkt dat ze mee wil met die ellendige muzikant, dat die twee samen zullen zijn, dat ze zal zingen, draaiend met haar trillende lijf voor Europees publiek, dat zo heel anders is dan de mensen van Afrika. Hij zou haar willen slaan en vernederen, maar hij is bang dat hij zal gaan smeken: blijf bij me, ik kan je niet missen. En tegelijkertijd weet hij dat het voor iedereen goed zou zijn als ze ging.

Tenslotte gaat hij het kleine huisje binnen. Ze ligt languit op haar stretchertje naar het plafond te kijken. Félipe slaapt tegen haar aan. Munengo gaat er op zijn knieën voor zitten.

'Noliyanda?'

'Hmmm.'

'Wil je bij me weg?'

'Ik wil alleen maar wat jij goed voor me vindt,' zegt ze zacht.

'Die man wil je meenemen.'

Ze draait zich opzij en leunt op een elleboog.

'Ik ben toch van jou, Munengo. Maar ik dacht: ik ben teveel. Ik zit in de weg en Evelien haat me.'

'Dat is niet waar.'

'Als ik wist, als ik het maar zeker wist dat je echt van me houdt.'

'Ik houd van jullie allebei.'

'Zie je wel. Zij kan geen kinderen krijgen, maar je zult er haar niet om verstoten. Ze betekent meer voor jou, het is veel beter dat ik er niet meer ben.'

'Nee Noliyanda. Ik wil je houden, jou en de jongens.'

'Ik geloof dat ik weer zwanger ben, Munengo.'

Munengo neemt haar in zijn armen, drukt zich tegen haar aan en Noliyanda legt Féliepje op de grond.

's Ochtends zegt hij: 'Ik blijf bij je tot dat volk is vertrokken en je komt niet meer in die danstent, zolang ze in de stad zijn. Ik laat je het huis niet meer uitgaan.'

Noliyanda aait over zijn gezicht.

'Dat is helemaal niet nodig. Ik mag toch wel gaan werken.'

Hij zou zelf met plezier zijn belangrijke werk voor haar in de steek laten, maar dat is natuurlijk overdreven.

'Ik kom vroeg thuis,' zegt Noliyanda en dat doet ze ook.

Munengo blijft ook de volgende dag een toegewijde echtgenoot. Hij neemt een kwartier de tijd om Evelien gerust te stellen.

'Het komt allemaal goed,' zegt hij tegen haar, 'Noliyanda begrijpt gelukkig dat het leven in Europa niets voor haar is. Ik moet haar nu even al mijn aandacht geven. Daarna blijf ik een hele week bij jou.'

Evelien kan geen woord door haar keel krijgen. Voor ze zich heeft hersteld is hij alweer weg. Het is kapot, denkt ze, nu is het helemaal kapot. Ik kan het niet meer aan en ik wil het ook niet. Het is mooi geweest en iedereen die me waarschuwde had gelijk. Ik zal gaan inpakken, ik vlieg naar Sougouni. Misschien kan Balop me weer gebruiken. Ik vind wel wat, maar ik ga niet terug naar de kou in Holland.

Ze zal gaan inpakken, maar ze doet het niet. Ze is er te verstikt voor. Kon ze maar gooien met de borden, de zelfgebouwde kast in mekaar trappen, maar dat kan ze niet. Spanning, verdriet verlamt haar, verstopt haar hersenen. Ze ziet een uur te laat dat ze naar de bank had moeten gaan. En ze gaat alsnog, als een slaapwandelaar en er komt niets van haar werk terecht.

'Ga naar huis, Evelien,' zegt haar baas, 'Je wordt ziek.'

Ja ziek. Een dag, een nacht, een dag, ziek. Nog een nacht, ze weet niet eens meer of ze wakker is of slaapt, de versuffing verdiept zich. Ze droomt dat iemand huilt, klagelijk huilt, of is ze dat zelf? Het verlaten kind dat ze blijkbaar nog altijd is van binnen. Een heel klein kind.

Nee, het is Matimba, en Félipe.

Evelien komt overeind, in de huiskamer is het licht aan. Daar zit Munengo met twee jammerende jongetjes. Doodongelukkig kijkt hij haar aan:

'Ze is weg.'

Munengo legt zijn hoofd op zijn armen. Evelien gaat pap koken voor de kinderen.

Noliyanda is al in Sougouni. Nu hoort ze bij die eigenaardige witte man. Het is vreemd, beangstigend en het is ook heerlijk, want dit heeft ze gewild en het is bijna vanzelf gegaan. De goden zijn alweer goed voor haar geweest. Ze heeft geleerd zich afhankelijk en volgzaam op te stellen: 'John, je moet het aan Munengo vragen,' 'Munengo, ik ben van jou.'

Het enige wat ze hoefde te doen was een taxi nemen naar de luchthaven. Ze heeft niets meegenomen, alleen een beetje geld.

'John, hier ben ik. Munengo wil me niet meer.'

En zo is het. Ze heeft het goed begrepen. Hij heeft niet willen toegeven dat hij haar liever heeft dan die waardeloze onvruchtbare Evelien. Misschien zou hij haar tenslotte toch als eerste erkennen en de ander wegdoen, als ze erop stond, als ze hem een zoon van hemzelf zou geven, maar het is beter zo.

Ze heeft het kind dat ze van Munengo verwachtte terug laten gaan. Ze wil niet nog een kind. Ze wil een beroemde zangeres worden, die overal in de wereld optreedt en dit is de eerste stap. John is net op tijd gekomen. Ze strijkt over het amulet dat ze van haar moeder heeft gekregen, een krachtig amulet, het heeft John naar haar toe gebracht.

Vluchtig, verlegen kijkt ze hem even aan. Het is een merkwaardige man, eigenlijk begrijpt ze niets van hem, alleen de muziek, zijn ritme. Het is voor Noliyanda geen enkel probleem. Ze denkt er ook niet over naar zijn motieven te vragen, waarom hij zo nodig haar kinderen mee wilde nemen. Alleen maar omdat zij er de moeder van is? Het is veel beter dat ze bij Evelien blijven. Die gaf hun toch altijd al extra zorg: vruchten, speelgoed, dingen die nergens voor nodig zijn.

Ze vraagt niets en ze zegt niets, want het Frans is ook voor Noliyanda een vreemde taal en John kent er maar een bedroefd klein beetje van.

Hij zit haar sprakeloos te bewonderen. Hij is nog nooit echt verliefd geweest en nu komt het hard aan.

18

Toen Noliyanda niet thuiskwam is Munengo erop uit gegaan. Eerst naar het restaurant waar ze werkte, toen naar het hotel, waar John Rorinck had gelogeerd en uiteindelijk naar het vliegveld, waar de groep die middag was vertrokken. Bijna iedereen heeft de mooie vrouw gezien die op het laatste ogenblik nog mee moest, maar niemand vertelde dat aan hem, want hij was kennelijk de man die door haar werd verlaten.

Munengo draafde weer terug, het hele eind naar de stad. Misschien was ze inmiddels al thuisgekomen. Hij vond alleen twee hongerige jongetjes. De halve nacht heeft hij in Noliyanda's huisje zitten wachten, voordat hij zichzelf moest toegeven dat het geen zin meer had. Hij heeft nooit meer over haar gepraat.

Evelien doet haar plicht. Ze werkt halve dagen om meer tijd voor de kinderen te hebben en ze heeft in plaats van de oude vrouw een verzorgster gezocht die met hen omgaat zoals zij het wil. Theoretisch is alles in orde. Het gaat goed met de jongens en ze hebben plezier met elkaar. Maar Evelien voelt dat er onder de oppervlakte nog iets zit te wroeten. Munengo lacht niet meer zo blij en vrolijk, als hij gewoon was en waardoor hij iedereen voor zich innam. Zou hij nog altijd naar Noliyanda verlangen? Of komt het door zijn werk? Hij vertelt er nooit iets van, maar ze weet dat er nogal eens opstandjes zijn in Gondom.

Evelien durft hem er niet naar te vragen. Over Noliyanda moet ze het niet hebben en de problemen in het land wil hij vergeten zo gauw hij thuis komt en dat is eigenlijk maar gelukkig.

Voorzichtig begint ze dan een keer over het probleem Frits. Ze vertelt alles wat er is gebeurd. Zelfs het spuitje dat ze heeft verloren in het bos laat ze niet weg.

'Denk je dat Frits daardoor ziek geworden is, Munengo? Kan het dat Yahi hem besmet of vergiftigd heeft? Je hoort hier zo vaak van zulke dingen en ze was erg boos op hem, dat weet ik. Denk je dat het over zou kunnen gaan, als we een ritueel voor hem houden?'

Munengo is geschokt. 'Voor die man? Hij heeft het zichzelf op zijn hals gehaald. Zijn verdiende loon als hij ziek wordt. Laat hij zelf komen om een ritueel te houden.'

'Niets aan te doen dus,' zegt Evelien, 'Ik was er al bang voor.'

Munengo blijft een hele tijd stug zwijgen. Eindelijk zegt hij:

'Je mag er ook niet meer aan denken.'

'Ik zal het niet doen,' zegt Evelien.

Mislukt. Nu is ze verder van een gesprek af dan ooit. Ze probeert eerst bij zichzelf de dingen op een rijtje te zetten. Hun verhouding moet beter worden, dieper. Hoe begin je daarmee, als je het bijna een jaar alleen over onbenulligheden hebt gehad.

Die onbenulligheden, de kleine dingen van elke dag zijn misschien eigenlijk het belangrijkst. Evelien weet dat wel, maar ze wil meer en ze weet niet hoe ze dat moet aanpakken. Ze overdenkt de jaren dat ze samenzijn. En het begin, daarvoor, haar verlangen naar Womg'bumi, waar de vrouwen zo eindeloos moeten werken op een manier die Europeanen zinloos vinden: zware waterkruiken dragen, urenlang in hun houten vijzels stampen. Met heel eenvoudige middelen zouden ze het veel makkelijker kunnen hebben. Was het dwaasheid dat ze daar geen bezwaar tegen had?

Het was haar gevoel voor Demba dat haar daarheen trok, maar er was meer, de groene vruchtbare warmte en vooral de tevredenheid, domme tevredenheid, ja. Maar het is nu eenmaal zo dat de een gelukkig is met niets en de ander nooit genoeg heeft. Ze was in die tijd koud en zo bang om iets van haar kleine ikje los te laten, dat ze dolgraag wilde ondergaan in de gemeenschap: net zo doen als de anderen, de veiligheid van een strikt geregeld bestaan. Zou het haar gelukkig gemaakt hebben of was ze er verkommerd op de lange duur? Dat zal ze nooit weten. Ze zag alleen dat die simpel levende vrouwen vrolijker waren dan iedereen die ze kende in het nuchtere zakelijke Nederland. Zelfs hier in de hoofdstad mist ze de kalme vriendelijkheid die daar heerste. En Munengo mist het waarschijnlijk nog meer, want hij is ermee opgegroeid.

Maar Noliyanda kon er niet tegen. Zij was er te intelligent en sprankelend voor.

Noliyanda is nu in Holland. Hoe zou ze het vinden?

Holland, jachtig, berekenend, onverschillig en overdadig met ongeveer alles. Evelien gelooft nog altijd niet dat het daar beter is dan in het kleine oerwouddorp. Womg'bumi, de voorouders, de koppendans, mannen die wild en vuil thuiskomen van de jacht, geheimzinnige lichtjes, gouden palmwijn en dik donker kippebloed in de walmende vuurtjes van de griezelige Yahi. En natuurlijk ook vuil en wreedheid.

Munengo is nooit meer terug geweest naar zijn dorp. Waarom niet? Ze ligt tobberig naast hem in de donkere nacht en tenslotte denkt ze: wat maakt het uit? Ik wil toch altijd bij hem blijven. Ons leven is gewoon anders geworden.

Ze probeert het zich niet aan te trekken dat Munengo weinig aandacht voor haar heeft. Ze zegt tegen zichzelf: het komt door zijn werk. Misschien is het normaal, sleur. Zelfs de beste huwelijken lijden aan slijtage, waarom zou het bij mij anders gaan?

Ze heeft zelf ook meer te doen. Dingen die ze vroeger samen deden, komen nu neer op haar alleen. Behalve aan de kinderen en haar werk geeft ze veel energie aan de bibliotheek. Alles is gecatalogiseerd en ze heeft het voor elkaar gekregen dat er geregeld gebruikte en beschadigde boeken uit Frankrijk komen. Het is een grote voldoening voor haar dat er nu veel meer gebruik van wordt gemaakt.

Munengo kan zijn moeilijkheden niet onder woorden brengen. En het allerlaatst zal hij toegeven aan Evelien dat hij moeilijkheden heeft. Hij schaamt zich, omdat Noliyanda hem heeft bedrogen en hij begint ongerust te worden dat zijn voorouders het hem kwalijk nemen dat hij Womg'bumi heeft verlaten. Of ze nemen wraak, omdat hij niet een vrouw van zijn stam heeft gekozen. Hij dacht dat hij zich al lang had bevrijd van de lastige tradities en taboes uit het primitieve dorp. En dat was ook zo, toen alles voorspoedig ging. Nu komen de harde regels en strenge voorschriften weer door zijn hoofd spoken, want hij heeft nog altijd geen kind van zichzelf. Het is Demba die voort zal leven in de twee jongens waar hij voor moet zorgen.

Om die onaangename gedachten van zich af te zetten werkt hij hard. Hij krijgt een betere positie en ze gaan in een groter en mooier huis wonen. Niet meer met een stookplaats buiten, maar een echte keuken, een douche- en wasruimte en een kinderkamer. Ze worden uitgenodigd bij alle ministers en ook bij zakenmensen en hij krijgt een auto, want hij moet veel op reis.

Als Evelien denkt dat ze nu eindelijk toch een kind verwacht, vertelt ze het niet direct aan Munengo. De vertrouwelijke sfeer voor zo'n gesprek ontbreekt. Het kan nog mis gaan en ze weet niet eens zeker of hij er blij om zal zijn. Hij heeft al twee jongens.

Pas na de derde maand kan ze het niet langer uitstellen. Ze moet er mee voor de dag komen.

Op een avond, als hij wat vroeger thuis is en de jongetjes slapen, zegt ze:

'Munengo, leg dat boek eens weg. Ik moet je iets vertellen.'

Duim tussen de bladzijden.

'We krijgen een kind.'

'Evelien. Ik durfde dat niet meer te hopen.'

Hij gooit zijn boek op de tafel en ze merkt nu pas aan zijn stralende gezicht, hoe lang het is geleden dat hij haar zo aankeek, hoe ver ze de laatste tijd van elkaar af zijn geraakt.

'Ik wist niet dat je het zo graag wilde. Is het dat, wat je de laatste tijd dwars heeft gezeten? Ik dacht dat je Noliyanda miste.'

'Noliyanda? Nee, het is goed dat ze is weggegaan. Maar... Och wat maakt het uit. Ik ben er heel erg blij om, Evelien.'

'Het maakt wel uit. Veel voor mij. Als je zorgen hebt of ongelukkig bent, ben ik het ook.'

Munengo begint ongelovig te lachen. Wat een idee. Ze zal zijn problemen niet begrijpen. Hij snapt ze zelf niet eens. En nu, Evelien krijgt een kind. Er zijn geen problemen meer.

'Wanneer komt het kind?'

'Over vijf en een halve maand.'

'Al zo gauw? En ik heb er niets van gemerkt.'

'Je bent ook zo vaak niet thuis.'

Is het een verwijt? Munengo wil zijn boek alweer oppakken, maar hij bedenkt zich en hij lacht.

'Nu ben ik thuis.'

Er is weer ruimte om te praten.

'Munengo?'

'Ja.'

'Ik wil je iets vragen.'

Munengo gaat naast haar zitten, arm om haar heen.

'Misschien wil je geen antwoord geven. Dan is het ook goed.'

'Ja?'

'Kunnen we niet eens naar Womg'bumi gaan? We zijn er nooit meer geweest.'

'Waarom wil je daarheen, Evelien?'

'Ons kind moet alles krijgen wat het nodig heeft. Ook een echte naam. Félipe heeft nooit een naam gekregen en Noliyanda zei: 'Jullie zijn niet echt getrouwd' Ik wou graag eens alles in orde maken.'

'Wil jij dat? Ik dacht dat je niet in onze ceremoniën geloofde.'

'En ik dacht dat jij niet meer in Womg'bumi wilde komen.'

'Ik wil het wel en ik wil het niet.'

Ze heeft gelijk, Munengo weet het. In het begin had hij teveel moeite met de verandering van zijn positie. Demba met zijn bravour had te nadrukkelijk zijn plaats van troonopvolger overgenomen. Nu is Demba er niet meer, maar iedereen zal vragen naar zijn tweede vrouw en dan moet hij zeggen dat ze bij hem is weggelopen. Munengo heeft zich nooit op zijn status laten voorstaan, maar nu hij dat alles kwijt is ziet hij er toch wel erg tegen op om sommige dorpelingen te ontmoeten.

Evelien zegt: 'Ik geloof misschien niet precies in de ceremoniën op de manier zoals het hoort, maar ik vind ze wel waardevol, ook voor de mensen daar. Je vader en moeder kunnen wel denken dat je hen niet meer wilt kennen.'

'Het is waar, Evelien. Een paar jaar geleden had ik genoeg van al die strenge stamgewoonten, maar ik denk er nu wat anders over. En ja, ik wil mijn moeder weer eens zien.'

Ze zullen de reis naar Womg'bumi gaan maken. Evelien is er heel erg blij om.

Munengo's auto brengt hen tot Mwaka, comfortabeler dan de gammele taxi's, maar even langdurig en stoffig. Dan moeten ze verder lopen. Félipe wordt in zijn karretje boven op de tassen met geschenken gezet. Matimba loopt. Zolang hij kan. Daarna neemt Munengo Félipe op zijn schouders en mag Matimba rijden.

Terwijl ze in de ritselende stilte rustig voortstappen, begint Munengo te vertellen: bizarre sprookjes die hij zelf vroeger van zijn grootouders heeft gehoord.

Van het meisje dat met de python trouwde die haar had geroofd, van de kannibaal die een bijennest in zijn buidel vond in plaats van het gestolen kind en van de blinde vrouw die een ei uitbroedde. Het zijn spannende verhalen die niet altijd goed aflopen, net zo geheimzinnig als de beklemmende groene diepte van het woud waar ze doorheen trekken. Hij vertelt totdat Matimba's hoofdje scheef wegzakt langs de zak rijst waar hij tegenaanzit.

Voordat ze in Womg'bumi zijn, wordt Matimba wakker gemaakt. Hij moet weer lopen en Félipe gaat in zijn karretje, want Munengo kan natuurlijk niet het dorp in gaan met een kind op zijn nek, terwijl zijn vrouw er naast loopt.

Weer is Yéré de eerste die hen ziet.

'Ah! Ayaha, Munengo! Kom kijk, wie gekomen is, Munengo is er weer!' Munengo had zich geen zorgen hoeven maken over zijn status. Het hele dorp loopt uit. De kinderen dansen en springen om hen heen, de mannen kijken nieuwsgierig en de vrouwen lachen. Zelfs Evelien heeft het gevoel dat ze thuiskomt.

Alles loopt nu automatisch volgens de regels, eerst gaat Munengo alleen naar Ngunza. Een zwangere jonge vrouw haalt een kalebas met palmwijn en pas later krijgen Evelien en de kinderen wat te drinken.

Er wordt een woning voor hen ontruimd en als de zon onder is begint er een feestmaaltijd voor de mannen.

Ngunza gedraagt zich alsof hij tien jaar jonger is en zo ziet hij er ook uit. Hij heeft dan ook sinds de dood van Demba drie vrouwen die hem vertroetelen.

Munengo is al bang dat zijn vader erop rekent dat hij voorgoed is thuisgekomen, maar het blijkt dat Womg'bumi niet zo afgelegen is, dat er nooit nieuws uit de hoofdstad binnenkomt. Het vertrek van Noliyanda is bekend en er wordt niet over gesproken. Waar wel iedereen vol van is: Munengo wordt minister. Dat is nog eens wat anders dan hoofd van een dorp.

'Het is niet waar,' zegt Munengo, 'Ik weet er zelf niets van.'

Maar: ja, het is wel waar: Siofok heeft het in Mwaka gehoord van de postman en die heeft het van zijn neef in Oudougoangi en die... Zie je Munengo, Het moet dus wel waar zijn.

Evelien hoort het van de vrouwen.

'Hoe is het om de vrouw van een minister te zijn?'

'Dat ben ik helemaal niet.'

'Haha, wel waar. Gaan jullie in het paleis wonen?'

'In het paleis zijn alleen bureaus, werkplaatsen voor de president en zijn medewerkers.'

'De president hoeft toch niet te werken? Wat is hij voor een man?'

'Ik weet het niet,' zegt Evelien, 'ik ken hem niet.'

'Heb je hem nog nooit gezien?'

'O ja, ik heb een paar keer bij hem gegeten. Hij doet heel vriendelijk, maar ik denk dat zelfs zijn eigen vrouw hem niet kent.'

Daarover beginnen de vrouwen druk en ongelovig te praten. Evelien zit stil na te denken. Munengo minister? Hoe komen ze erbij. Het kan toch niet waar zijn? Hij heeft er nooit iets van gezegd.

Het is het eerste waar Evelien naar vraagt, als ze samen alleen zijn.

'Ze zeggen dat je minister wordt, is dat waar?'

'Natuurlijk niet. Er worden alleen maar ministers benoemd uit de stam van de president.'

'Hoe komen ze er dan bij?'

Munengo weet het niet en het kan hem niet schelen ook, maar Evelien zegt:

'Je bent altijd hun held geweest. Daarom geloven ze onvoorwaardelijk zo'n gerucht.'

'Het doet mij heel veel goed, Evelien, dat ik weer geaccepteerd ben. Ik heb dat aan jou te danken.'

We hebben het weer goed samen, denkt Evelien. Zouden die ceremonieën nog wel nodig zijn? Nu ze eenmaal hier is ziet ze er erg tegenop.

Ngunza is niets ouder geworden, Yahi wel. De volgende ochtend zit ze voor haar huisje als een vleermuis in een hoopje as, grauwer en kleiner dan ooit. Met een grijs handje licht ze haar linker ooglid op om Matimba en Félipe beter te kunnen bekijken en ze mummelt iets onhoorbaars tegen Evelien. Die zegt later tegen Munengo:

'Ik weet niet zeker meer, of ik het wel wil, die rituelen. Ik vind Yahi nu wel heel verschrikkelijk eng.'

'Yahi is niet kwaad, als je haar in haar waarde laat.'

'Yéré vertelde dat ze voor het ritueel bij Vamba's dood een medicijnman uit Mwaka hebben laten komen. Omdat ze zo oud en warrig is geworden.'

'Wij kunnen dat niet doen,' zegt Munengo.

Evelien begrijpt dat wel, maar: 'En ze is ook zo vreselijk vies. Ons mooie Féliepje.'

'Hij mag van jou altijd met water en modder spelen.'

Munengo heeft nog steeds een ander idee over vies dan Evelien. Gelukkig werkt Yahi nogal veel met vuur, daardoor steriliseert ze haar bloederige brouwsels misschien.

Yahi is zeer vereerd dat de voorouders door haar betrokken zullen worden bij het voortbestaan van de stam. Ze gaat druk en rommelig aan de slag met geurig hout, zorgvuldig geselecteerde hoopjes rijst en weerbarstige magere hanen.

Terwijl Yahi tijdens de voorbereidingen bedrijvig heen en weer scharrelt tussen haar huisje en het vuur gebeurt er iets. Ze trapt per ongeluk op een klein zwart kussentje. Het barst en er loopt een hoopje zand uit. Yahi blijft er even verbijsterd naar kijken.

Eindeloos veel kracht heeft ze aan dat ding besteed. In het begin met alle venijn die ze op kon brengen, later werktuigelijk als een van de vele geregelde plichten tot heil van het dorp. Toen Demba stierf en Vamba uit de boom viel heeft ze het harde kussentje nog eens opnieuw met offerbloed bestreken en vervloekt. Maar de laatste tijd kan ze zich niet meer zo goed concentreren en nu is het ding kapot.

Zou het misschien genoeg zijn geweest? Waarschijnlijk is die witman allang dood.

Yahi gelooft dat de voorouders nu eindelijk tevreden zijn, want Munengo is teruggekomen. De witte vrouw draagt een kind en ze zal worden ingewijd. Nu zullen de jonge mannen niet meer sterven. Allemaal dankzij haar inspanningen. Tevreden schopt ze het lege kattevel in het vuur. Dan bezemt ze met nijdige streekjes de restjes aarde die eruit gelopen zijn er achteraan, en tenslotte trekt ze met haar spinnige vingertjes aan het ooglid dat het niet meer doet om zeker te zijn dat er niets is blijven liggen.

Félipe protesteert heftig als het hanebloed over zijn hoofd wordt gegooid, maar Matimba vindt alles prachtig. Hij is zelfs een beetje jaloers, want Félipe krijgt een nieuwe naam. Hij zal in het vervolg Aho heten, maar het is beter die naam nog niet te gebruiken, want het is een prinsennaam. Aho zal ongetwijfeld later een prins zijn, maar hij moet het zelf eerst nog waar maken.

Grote stukken wild liggen te sissen en te sudderen op stenen naast het vuur. Er wordt wijn gedronken en feest gevierd. En de volgende dag moeten de mannen alweer op jacht, want over een paar dagen zal alles nog eens gebeuren. Dan wordt het huwelijk bevestigd van Munengo en Evelien.

Evelien ondergaat dapper alle manipulaties. Ze wordt uitgekleed, gewassen en van top tot teen ingevet door giechelende vrouwen. Ze moet heel lang heel stil zitten, terwijl er om haar heen steeds wilder en uitzinniger wordt gedrumd en gedanst. Het is al diep in de nacht als ze eindelijk met Munengo alleen is en pas nu is ze volledig zijn vrouw, want al zijn voorouders van ver in het verleden hebben kennis met haar gemaakt.

Na het feest blijven ze nog een dag in Womg'bumi. Dan pakt Munengo de geschenken in en gaan ze weer op weg naar huis.

Een grote groep dorpelingen loopt mee door het woud naar Mwaka. Ze spelen onderweg op rietfluiten en besnaarde kalebassen. Fodé en zijn vrienden maken ongelooflijk hoge sprongen en meisjes mogen om de beurt de kinderen dragen: Matimba en Félipe die nu Aho heet.

Tenslotte wordt in Mwaka de auto bewonderd. En nu is iedereen meer dan ooit overtuigd dat Munengo een van de belangrijkste mannen van het land is geworden. Minister. Wat dat eigenlijk inhoudt weet niemand in Womg'bumi precies, maar iedereen is tevreden, want er is eindelijk orde op zaken gesteld. Toen Munengo niet zijn vader wilde opvolgen, toen Demba stierf, ging het slecht met Womg'bumi. Maar nu heeft Munengo het goed gemaakt en nu hij een zo belangrijk persoon in het land is geworden, veel hoger dan een gewoon dorpshoofd, deelt Womg'bumi in die status. Daarom wil iedereen zo graag geloven wat Siofok over hem heeft verteld.

Het leven herneemt zijn gewone gang. De mannen prutsen geduldig aan hun bogen en speren, ze doen spelletjes en ze vangen lekkere vette marmotten. De vrouwen zwoegen op het land, ze stoken en stoven en daarna haasten ze zich naar het vrouwenhuis, want het is al weer gauw volle maan.

De kleine meisjes die niet door hun moeder aan het werk zijn gezet, hangen rond bij Yahi's huisje. Ze weten dat het tijd is om naar de heilige boom te gaan. Maar Yahi is er nog niet aan toe. Ze loopt in kringetjes rond, op het plein voor het mannenhuis waar de offervuren zijn gestookt, in haar huisje, om haar huisje en dan weer een eindje het bos in. Yahi is haar kussentje kwijt. Ze heeft het zelf laten verbranden, maar dat weet ze niet meer.

Jarenlang had ze de gewoonte er elke dag om vier uur een poosje mee te toveren en nu kan ze niet verder gaan met haar plichten voordat ze met deze taak klaar is. Wie heeft het zwarte kattevel weggenomen?

Kan de witte vrouw het gedaan hebben? Er was een verband, maar hoe het in elkaar zat is ze vergeten. Yahi wordt paniekerig. Haar hersenen werken niet goed meer en haar ogen ook niet. Ze moet... ze moet... ze moet... en ze weet het niet. Het is weg, wat is er ook weer weg?

'Weg!' zegt ze tegen de kleine meisjes, 'Ga weg. Ik moet gaan zoeken.'

De kinderen hollen alle kanten op en Yahi schuifelt het bos in, krom, scheef, met een hand bij het slappe ooglid en de andere tegen haar been aangedrukt, want dat been doet het ook niet meer zo best.

Yahi komt niet terug. Al na een uur beginnen Yéré en Ndumbe te fluisteren. Tegen de avond weet het hele dorp: Yahi is niet thuisgekomen. Moeten we haar gaan zoeken? In het heilige bos? In het donker? Niemand waagt het.

Yahi is heel oud. Haar tijd is gekomen. De voorouders hebben haar gehaald, daar mogen levende mensen zich niet mee bemoeien. Precies op het plekje waar lang geleden Munengo en Evelien elkaar hebben gevonden, is ze over een verraderlijke taaie liaan gestruikeld die daar tussen de geknakte stengels is opgeschoten. Het spuitje van Frits ligt er nog, bedekt met een dikke laag rottende oerwoudresten en daar ligt nu ook het voze lijkje van de oude heks. Hoe lang ze nog heeft geleefd met haar gebroken been, zal niemand ooit weten. Het zal niet lang duren, dan is er niets meer van haar over.

Nu moeten de vrouwen zelf hun maandrank bereiden. Ze doen hun best alles net zo te doen als Yahi, maar niemand weet precies wat er allemaal in moet. Het smaakt niet slecht, maar wel anders en de liederen die ze zingen klinken ook anders.

Ze zingen het afscheid:
'O oho ojoö, de geesten hebben haar meegenomen.
O ho ojoö, ze hebben haar gedragen.
Yahi, je bent met de geesten meegegaan.
We kunnen je niet meer zien.
Ojoö, o ho Yahi jo. O oijo.

Deze keer gaan er geen mannen het bos in en de vrouwen lopen rustig naar huis over het paadje, want niemand wil graag de geest van Yahi ontmoeten.

De tovenaar uit Mwaka komt een ritueel houden. Hij brengt offers opdat de zielen die al eerder zijn gegaan Yahi zullen helpen bij haar reis in de andere wereld. En later wordt aan de voorouders gevraagd een opvolger aan te wijzen.

Eerst de hoofdman, daarna de oudsten, steeds meer mannen stellen de vraag en wie aan de beurt is, timmert daarbij een stok in de grond. Er staan al veel stokken. Iedereen die deelneemt, moet een witte doek dragen. De drums beginnen te spreken. Dansende voeten kletsen in modder van aarde en kippebloed en twee, drie, vier vrouwen raken in diepe trance. Met geleende stemmen noemen ze de naam van degeen die priester moet worden.

Tot zijn grote ontzetting is het Fodé. Hij loopt weg, hij wil niet, hij is bang. Zijn moeder vindt hem jankend in een hoekje in haar hut.

'Fodé, mijn zoon. Je bent gekozen. Het is een eer. Waarom kruip je weg?'

'Ik kan niet. Ik ben slecht. De goden hebben zich zeker vergist.'

Goden kunnen beledigd zijn en gemeen, maar ze vergissen zich nooit. En als je ze beledigt, hangt niet alleen jezelf, maar ook de hele gemeenschap een hoop narigheid boven het hoofd. Fodé heeft geen kans zich aan zijn lot te onttrekken. Hij moet met de tovenaar uit

Mwaka mee. Die zal hem voorbereiden op zijn taak. En dan moet hij een jaar alleen in het oerwoud leven, want zo zal hij de geesten en hun wereld leren kennen. Geen wonder dat de jongen er tegenop ziet.

Fodé is een man, nog maar sinds een paar maanden, en een priester is hij nog lang niet, maar zelfs als hij helemaal is ingewijd, zal hij in geen geval de drank voor de koppendans mogen bereiden. Dat mag alleen een vrouw doen.Van nu af aan zullen de vrouwen het zelf moeten klaarspelen.

Ze hebben allemaal Yahi moeten helpen toen ze nog kleine meisjes waren, Yéré heeft haar talloze malen bezig gezien en Ndumbe onderneemt een reis naar het dorp van de kruidenvrouw Kanyisile. Het maankruid is niet gemakkelijk te vinden, maar haast iedereen heeft het wel eens gezien. En de maangodin is misschien ver en vaag, maar niet zo hard en onwrikbaar als andere goden. Ze is tevreden met stille lichtjes, fijne straaltjes geurige gele wijn rondom de oude baobab en helle dunne vrouwenstemmen die in de bleke nacht uit wentelende koppen omhoog stijgen.

Als de voeten dansen onder de heilige boom en mistige geesten in de koppen dalen zal haar zachte schijn diep in de donkere warme moederbuiken het bloed verbergen in een vochtig vliezig ei.

19

Evelien krijgt een dochter. Ze heeft het gezichtje van Munengo en de haartjes zitten al in kleine knopjes, maar ze is erg licht van kleur. Later zal ze wel donkerder worden.

Pasgeboren baby's hebben nog geen naam, maar voorlopig noemt Evelien haar kindje Ewa. Dat betekent: ze is mooi. En het lijkt een beetje op Eva, zo heette een grootmoeder, waar ze veel van hield. Alleen de E klinkt hier ergens tussen ee en è in, er is geen onderscheid tussen V en W.

Ze krijgt nu wat meer contact met Holland. Haar ouders hebben kaarten aan hun kennissen gestuurd en er komen pakjes: teddyberen, kleertjes en een zilveren lepel van Rozemarie. Evelien merkt, hoe ze van haar vaderland is vervreemd. Een hempje zonder mouwen is al genoeg voor haar kind, maar als ze bezoek krijgt van bekenden prijkt de baby in een jurkje vol frutsels en stroken zoals dat in Gondom de gewoonte is.

Ik kom misschien mijn hele leven niet meer in Holland, denkt Evelien, ik hoor daar niet meer.

En dan is er opeens ze een brief van Erica. Nu eens niet alleen maar: gefeliciteerd met je verjaardag, of prettige kerst- paas- en pinksterdagen, maar een brief waar wat in staat:

Erica heeft een vriend die Sipke heet en ze hebben erover gedacht een reis naar Afrika te maken om Evelien en haar gezin te bezoeken, maar bij nader inzien durft Erica niet. Ze moet er niet aan denken, dat haar Sipke net zo thuiskomt als Frits. En nu stelt ze het volgende voor:

'Pappie wordt zeventig, Evelien. Rozemarie en ik vinden dat je er weer eens bij moet zijn. Als de reis te duur is voor jullie zullen wij mee betalen. En jullie kunnen zolang als je wilt in het huis van Sipke logeren. Dat is heel groot. Wij willen je man en je kinderen zien.'

We? denkt Evelien. Het is maar de vraag of mammie ze zien wil. Mammie heeft een jurkje gestuurd en best lief geschreven, maar dat is wel iets anders dan een heel zwart gezin in huis te halen.

'Munengo, wat vind jij ervan?'

Munengo wil graag haar land en familie zien. Met de vooroordelen van mammie heeft hij geen enkel probleem.

En zo komt Evelien na zes jaar voor het eerst weer in Nederland. Er is veel veranderd, alleen in Smokkelersgat is alles nog net als altijd.

Pappie ziet eruit, alsof hij zestig is en mammie heeft zich dagenlang uitgesloofd in de keuken.

Ze is verrukt van haar schoonzoon, zó charmant. Ook de welopgevoede jongetjes hebben al gauw haar goedkeuring, maar bij het zien van Eveliens mooie kleine meisje, komt even de verstopte emotie naar buiten. Ze krijgt tranen in haar ogen. Haar kleindochter is een halfbloed en daarom in haar ogen een misbakseltje dat niet in haar wereld past.

Ewa is niet minder dan een blank kind, houdt mammie zichzelf voor, want natuurlijk: ze zal nooit discrimineren. Maar ze is anders en dat is toch wel erg jammer..

Mammie weet zich meteen te beheersen. Ze vertaalt haar agressie in zorg en eten koken.

Ze schaft een duur draagtuigje aan in plaats van die rare Afrikaanse doeken die Evelien bij zich heeft om het kindje in te dragen. Evelien gebruikt het niet. Net als vroeger omzeilen ze allebei de gesprekken die onenigheid zouden kunnen opleveren en gelukkig kan Evelien met haar gezin het grootste deel van hun tijd doorbrengen in Sipkes huis, waar Erica en hij druk en ongeregeld komen binnenwaaien. Ze hebben dan veel plezier met elkaar en Evelien geniet ervan, dat Munengo zo goed met haar zus en zwager kan opschieten.

Bij Rozemarie en Frits is het heel anders. Ze zijn in Zeeland komen wonen. Floris gaat naar school in het dorp en Hannejet in Vlissingen. Rozemarie begint al grijs te worden. Ze is heel blij als ze Evelien en Munengo ziet.

'Zo lang geleden. Evelien, drie kinderen. Ik kan me jou niet voorstellen als moeder en je bent het zo helemaal.'

'Hoe is het nu met Frits?'

Frits zit op een stoel.

Evelien heeft hem niet gezien totdat Rozemarie naar hem toeloopt.

'Hier is Evelien, Frits, ken je haar nog?'

'Evelien? Jawel.'

Langzaam draait hij zijn hoofd naar haar toe, een moe wit gezicht.

'Womg'bumi... 'zegt Frits, 'de koppendans.'

'Hoor je dat?' Rozemarie is opgetogen. 'Hij weet het nog.'

Evelien loopt weg omdat ze moet huilen. Hij was zo actief en gezond. Nu zit daar een versleten oude man.

'Ik had er geen voorstelling van, dat het zo erg was,' zegt ze later.

'O maar het is veel erger geweest. Ik vind dat hij nu juist weer een beetje vooruit gaat, eindelijk. Hij praat wel eens tegen de kinderen. Maar het is de eerste keer dat hij zich iets weet te herinneren. Misschien wordt hij toch nog beter.'

'Rozemarie, hebben jullie er nooit aan gedacht dat hij ziek geworden is door zijn reis naar Afrika?'

'Jawel, hij is op alle mogelijk manieren onderzocht, maar er is niets bij hem gevonden. En in een betovering kunnen wij natuurlijk moeilijk geloven.'

Evelien zou nu kunnen zeggen dat zij er wel in gelooft, maar daarvoor zijn ze te ver uit elkaar gegroeid. Rozemarie geeft een lang verslag van alle behandelingen die Frits heeft ondergaan.

'Het is wel merkwaardig,' eindigt ze, 'dat hij 'Womg'bumi' zei toen hij jou zag. Vroeger toen hij nog niet zo uitgeblust was, werd hij kwaad als ik erover begon.'

Later praat Evelien met Munengo.

'Het is verschrikkelijk. Hoe heeft zoiets kunnen gebeuren? Zou er echt niets aan te doen zijn? Een offer aan de voorouders...'

'Yahi is dood,' zegt Munengo, 'ze kan hem nu geen kwaad meer doen.'

'Kan hij dan nog beter worden?'

'Ik weet het niet. Misschien, als hij wil.'

Evelien zucht. Veel wil ziet ze in Frits niet meer zitten.

Floris komt uit school. Hij vindt het heerlijk met zijn kleine neefjes te spelen. Hij sjouwt met Félipe op zijn rug en neemt Matimba mee de dijk op om de zee te zien. Het gaat allemaal aan Frits voorbij. Hij blijft onaangedaan in zijn stoel zitten.

Hannejetje is groot geworden. Evelien heeft moeite de goede verstandhouding terug te vinden. Ze laat haar Ewa in bad doen, in de doek dragen en een hele tijd op schoot houden. Hannejet kijkt strak naar het kleine nichtje.

'Evelien,' zegt ze dan, 'Ik vind jouw Munengo best aardig, maar toch begrijp ik niet dat je in Afrika wilt wonen, want het is een eng land.'

'Het is juist een heerlijk land,' zegt Evelien, 'lekker warm en heel mooi.'

'Maar de mensen zijn gemeen, want ze hebben pappa ziek gemaakt.'

'Denk je dat?'

'Ik weet het. Hij ging erheen om die menstruatiedrank en die wilden ze niet geven. Dat is gemeen. Als hier een nieuw medicijn wordt uitgevonden, is het voor iedereen. En wij sturen geneesmiddelen daarheen en dokters en landbouwmachines. Ze mogen er wel eens wat voor terug doen.'

'Mensen begrijpen elkaar vaak niet goed, Hannejet. Vooral als ze zo heel verschillend zijn opgevoed.'

'Toch is het gemeen.'

'Als van alle mensen in Afrika er een zou zijn die het op zijn geweten heeft, dan is toch niet iedereen gemeen?'

'Het is wel een eng land. Dat vinden wij allemaal. Jullie kunnen beter hier blijven.'

'Daar is geen kwestie van,' zegt Evelien.

Ze gaan een paar dagen naar Echel om hun vrienden daar te bezoeken. Evelien verlangt er vooral naar Lydia terug te zien. Die werkt nog altijd zaterdags in de bakkerij, maar ze heeft nu een eigen huis, waar ze de Afrikanen op stamppot en erwtensoep tracteert en waar ze in een kamer de hele vloer heeft volgelegd met matrassen voor de familie om te slapen. Bij haar lijkt het het meeste op thuis in Afrika.

En met Lydia praten ze tot diep in de nacht zonder af te dwalen naar oppervlakkigheid en algemeenheden en zonder dat er opeens een stroefheid of een ongemakkelijke stilte optreedt in het gesprek.

Ze maken lange wandelingen in de bossen. Matimba legt zijn oor op de grond om dierengeluiden op te vangen, maar hij hoort niet anders dan het gedreun van vrachtauto's op de snelwegen in de buurt.

In het omvangrijke huis waar Engelbert met Door heeft gewoond zijn nu de kantoren van een groot bedrijf. Hij zelf woont in een verbouwd boerderijtje samen met een lange donkere stille gemeenteambtenares. Ze drinken koffie in een lage keuken, waar de zware tak van een notenboom onophoudelijk tegen de ruiten krast. Dric dikke katten tonen hun verontwaardiging als ze hun plaats op de rieten stoelen moeten opgeven voor de gasten.

'Bestaat de volksdansclub nog?' vraagt Evelien 'en is Lies er nog bij?'

'De boerendansers. O ja,' vertelt Engelbert, 'ik zit nog altijd in het bestuur. Maar Lies is vertrokken, getrouwd. Ze woont, geloof ik, in Almelo, maar haar adres ben ik kwijt. Ik kan het vragen.'

'Laat maar,' zegt Evelien, 'Wie waren er nog meer?' 'Jootje,' zegt Engelbert, 'Weet je, die is heel beroemd geworden.Hij...'

'Dat weten we, Engelbert. Jootje, daar weten we alles van. Hij is een keer bij ons gweest in Oudougoangi.'

Evelien begint vlug over iets anders. Aan Lydia heeft ze alles verteld: dat Noliyanda er met hem vandoor is gegaan en dat zijzelf niet de moeder is van Matimba en Félipe, maar ze vindt dat Engelbert dat niet allemaal hoeft te weten.

Ze hebben het tot nu toe uitgesteld, maar ze willen niet terug gaan zonder Johannes te laten weten dat ze er zijn. Noliyanda zal haar kinderen wel willen zien. John Rorinck treedt op in Amsterdam. Ze gaan erheen, Munengo en Evelien, Erica en Sipke. Noliyanda zingt en ze is adembenemend. Na de voorstelling gaan ze haar complimenteren en ze maken meteen een afspraak.

John verschijnt met Noliyanda in een open sportwagen bij het huis van Sipke. De jongens krijgen ieder precies zo'n auto'tje in het klein en Evelien een enorme bos rozen. Noliyanda is duidelijk ontroerd als ze haar kinderen ziet, maar ze weet er helemaal geen raad mee. En Matimba kijkt haar alleen maar aan. Hij wil niets zeggen. Het is John die de meeste aandacht aan hen besteedt. Hij is ook degeen die het meeste praat en vertelt. Hij is mateloos trots op zijn vrouw.

'Zij is de trekpleister van onze groep. Ze spreekt al heel goed Nederlands en beter Engels dan ik. We gaan een tournee maken in Italië en in Japan. En ondertussen worden we hier slapend rijk.'

'Met de opnamen van jullie nummers?'

'Ja ook. Maar ik ben ondertussen bezig met een heel ander zaakje.'

En dan komt John met een opmerkelijk verhaal.

'Weet je, ik heb belangen in de pharmacie. Hahaha, wat zeg je daarvan?'

'Dat is wel iets heel anders dan muziek, John. Hoe ben je daarbij terecht gekomen?'

'Heel toevallig. Noliyanda had voor zichzelf een kruidendrankje meegebracht. Een middeltje waardoor de eh, maandelijkse... de hoe noem je dat, de zaken worden geregeld. Vrouwenzaken, je weet wel. Nou, het schijnt nogal een zeldzaam plantje te zijn, waarmee ze dat voor elkaar maken en Noliyanda kon het niet zo best missen. Maar hier groeit dat spul niet. We zijn er eens over gaan praten met een apotheker en die stuurde ons weer door naar de pharmaceutische industrie. Geen mens hier had er ooit van gehoord en ze begonnen ermee ons uit te lachen. Het kon niet, zeiden ze, dat effect dat je ervan kreeg en het was ook best raar, hoor. Vrouwen die zo'n medicijn gebruiken verliezen een ei. Haha. Gelukkig had Noliyanda nog een handjevol van die kruiden over. Die hebben ze gestampt en gezeefd en er weet ik veel wat mee geknutseld, maandenlang. Wij dachten al: dat wordt nooit wat. Maar ja hoor, binnenkort zal het synthetisch gemaakt worden. Dan willen natuurlijk alle vrouwen het gaan gebruiken en wij krijgen er de provisie van. Dat had ik van tevoren goed geregeld. Zie je, zodoende.'

'Ja, ik zie het,' zegt Evelien.

Ze zou het liefste willen dat Johannes met zijn praatjes nu vertrok, maar de glazen zijn nog niet leeg en het gesprek moet voortgaan.

'En wanneer krijgen wij jullie weer in Oudougoangi te zien?' vraagt Munengo.

'Wanneer, dat weten we nog niet, maar we komen zeker. Zelfs in Womg'bumi. En dan nemen we een filmploeg mee om de koppendans te filmen. Wat zeg je daarvan?'

Munengo weet er absoluut niets van te zeggen. Evelien zegt:

'Het heilige bos...'

'Dat valt wel te regelen, denk ik zo. We zullen een behoorlijke weg aanleggen in plaats van dat smalle paadje. Het gebied opengooien. Het zal een grote verbetering zijn voor de mensen daar. Ik heb helaas niets van die koppen gezien, toen we er waren, maar op deze manier maak ik het toch nog mee. Het moet een uitzonderlijk spektakel zijn en dus een goed verkoopbaar project. Tja, ik zit nou eenmaal vol ideeën.'

'Hoe vind jij dat, Noliyanda?'

Ze maakt een vaag gebaar. Wat John doet moet hij weten.

Toch is Noliyanda degeen die voorstelt te vertrekken. Bij het weggaan kust ze voorzichtig de kinderen en John nodigt hen alle vier uit:

'Komen jullie ook een keer naar ons toe? Ik weet een nieuwe tent waar je heerlijk kunt eten.'

'We hebben geen tijd meer,' zegt Evelien, 'over drie dagen gaan we weer naar huis.'

En ze is blij dat het niet meer kan, want Jootje die altijd 'en zo' en 'misschien' zei, was veel leuker dan John met zijn 'wat zeg je daarvan?'

Ze hebben al afscheid genomen in Smokkelersgat. De koffers staan klaar voor het vertrek. Dan belt mammie op:

'Hebben jullie het nieuws gezien?'

'Nee, is er iets bijzonders?'

'De president van Gondom is vermoord.'

Televisie aan: rellen, tien hooggeplaatste personen gedood, brand in de bibliotheek.

'Zouden er bekenden bij die tien personen zijn?'

'De bibliotheek, jaren werk, al die mooie nieuwe boeken uit Frankrijk.'

Weer telefoon, weer mammie: 'Het is nu natuurlijk uitgesloten dat jullie teruggaan. We moeten een regeling treffen. Ik denk dat pappie wel een baan voor Munengo kan vinden. Hij heeft nog goede relaties.'

'Dat hoeft niet, mammie. Wij gaan gewoon weer naar huis.'

'Kind, de Europeanen worden geëvacueerd.'

'Ik ben geen Europeaan.' Tot haar voldoening kan Evelien het heel rustig zeggen: 'Ik ben een Afrikaanse vrouw en ik hoor daar.'

Natuurlijk kan ze niet meteen terug. De toestand in het land is te onzeker. Vrouwen en kinderen horen daar niet, maar Munengo gaat direct. Pas na twee maanden durft hij haar te laten komen. De bank waar ze werkte, het hotel en het postkantoor zijn uitgebrand, maar hun huis is nog volledig intact.

Evelien gaat een moeilijke tijd tegemoet. De winkels zijn leeg er is haast niet aan eten te komen. Het hindert niet, ze zijn weer bij elkaar en de nieuwe regering zal het zeker beter doen. Munengo is nu induna geworden. Dat is net zoiets als minister in een westers land.